Bebê

A GRANDE MUDANÇA

CB037739

Kara Hoppe & Stan Tatkin

Bebê
A GRANDE MUDANÇA

Como fazer o relacionamento
sobreviver à chegada dos filhos

Tradução de Tássia Carvalho

Dados Internacionais de Catalogação na Publicação (CIP)
(Câmara Brasileira do Livro, SP, Brasil)

Hoppe, Kara
  Bebê, a grande mudança: como fazer o relacionamento sobreviver à chegada dos filhos / Kara Hoppe, Stan Tatkin; tradução de Tássia Carvalho; prefácio de Terry Real. – São Paulo: Editora Melhoramentos, 2022.

  Título original: Baby bomb
  ISBN 978-65-5539-362-0

  1. Autoajuda 2. Bebês - Criação 3. Pais e filhos 4. Relacionamento familiar 5. Parentalidade I. Tatkin, Stan. II. Real, Terry. III. Título.

21-92575   CDD-158.24

Índices para catálogo sistemático:
1. Relacionamento familiar: Psicologia aplicada 158.24

Aline Graziele Benitez – Bibliotecária – CRB-1/3129

Título original: *Baby Bomb: Relationship Survival Guide for New Parent*s

Copyright © 2021 by Kara Hoppe and Stan Tatkin
New Harbinger Publications, Inc.
5674 Shattuck Avenue
Oakland, CA 94609
www.newharbinger.com
Direitos desta edição negociados pela Millett Agency

Tradução de © Tássia Carvalho
Preparação de texto: Sandra Pina
Revisão: Patricia Santana e Marília Courbassier Paris
Projeto gráfico e diagramação: Carla Almeida Freire
Capa: R. S. Carone
Imagens de capa: vecteezy.com

Google e Google Documents são marcas registradas de Google, LLC. / The New York Times é uma marca registrada de The New York Times Company / Chipotle é uma marca registrada de Chipotle Mexican Grill

Direitos de publicação:
© 2022 Editora Melhoramentos Ltda.
Todos os direitos reservados.

1.ª edição, fevereiro de 2022
ISBN: 978-65-5539-362-0

Atendimento ao consumidor:
Caixa Postal 729 – CEP 01031-970
São Paulo – SP – Brasil
Tel.: (11) 3874-0880
sac@melhoramentos.com.br
www.editoramelhoramentos.com.br

Impresso no Brasil

Para Charlie e Jude – vocês dois são meu tudo. Não consigo imaginar amá-los ainda mais.
K.H.

Para minha mãe e meu pai, que me mostraram o significado do amor, da dedicação, da confiabilidade e da ação correta. Para Tracey, minha esposa, e Joanna, minha enteada, que continuam a me mostrar como viver uma vida abençoada e segura.
S.T.

SUMÁRIO

Prefácio   9

Introdução   12

PARTE I — **Um grupo de dois**

CAPÍTULO 1   Equipe de parceiros   29

CAPÍTULO 2   *Experts* um no outro   46

CAPÍTULO 3   Reforço da equipe   64

PARTE II — **Dois viram três**

CAPÍTULO 4   À espera do bebê e além   85

CAPÍTULO 5   Choque de realidade   105

CAPÍTULO 6   Renovação do relacionamento   123

PARTE III — **Prosperidade no grupo de três**

CAPÍTULO 7   Crie equilíbrio   143

CAPÍTULO 8   Encontre uma nova fonte de sexualidade   161

CAPÍTULO 9   Faça uma briga justa   180

CAPÍTULO 10   Vislumbre o futuro   202

Agradecimentos   212

Recursos para ajuda profissional   213

Referências   214

PREFÁCIO

Para terapeutas conjugais, é um segredo público: filhos podem eviscerar um relacionamento. Barry McCarthy, pesquisador no campo da sexualidade, gosta de torturar a plateia ao se dirigir aos pais: "A pesquisa é clara. A satisfação sexual despenca com o nascimento do primeiro filho e retorna assim que o caçula vai para a universidade".

Até que cruze esse limiar e tenha seu coração derretido por aquele rostinho amassado – apenas para despertar às duas da manhã pelo som de uma gritaria e enfrentar a perspectiva de cair da cama e tropeçar no escuro mais uma vez –, você, simplesmente, não sabe. Conforme a urgência cega o empurra através do nevoeiro da privação de sono – de repente mesclada a um intenso ódio do seu parceiro descansado –, você o cutuca e grita: "É sua vez. Levante-se! É a sua maldita vez!".

Não existem meios de se estar de fato preparado para um bebê, pouco importa o número de livros lidos. Em minha prática clínica, um pai expôs a situação da seguinte forma: "Parece uma tortura política em alguma ditadura. Uma coisa ensurdecedora explode na sua cara a qualquer hora, sem aviso algum. E nada das coisas bobas e humilhantes que se fez da última vez – embalar, murmurar, ficar em uma perna só – desliga os berros. Na verdade, nada parece funcionar".

Bem-vindo ao *Bebê, a grande mudança*! Seja lá o que você tenha pensado antes, jogue quase tudo pela janela.

Antes de o primeiro de nossos dois garotos nascer, pedi a amigos a indicação de romances de que eu talvez gostasse durante meu mês de licença-paternidade. Afinal, eu teria alguns minutinhos de folga, certo? Meu melhor amigo me deu um livro de contos, com uma simples mensagem: "Boa sorte!".

Provavelmente, você não ouvirá em grupos de jogos criativos infantis ou em balanços nos parquinhos a única palavra que relaciono a esse momento no ciclo de vida de qualquer família: *sobrecarregado*. Estou me referindo à sensação de que tudo é exagerado, ultrapassando o que você consegue suportar: o barulho, a necessidade de uma paciência infinita, as tensões com seu parceiro.

Como qualquer relacionamento amoroso intenso, a relação pais-filhos se assemelha a um aspirador de pó emocional, arrancando de você as fissuras e as questões não resolvidas de sua própria infância. Seus pais foram negligentes? Bem possivelmente, você será um pai supercuidadoso. Sua infância foi controlada com firmeza? É bem provável que você se torne um pai permissivo, o que, no entanto, não significa que seu parceiro será igual. Na verdade, quase sempre ocorre o oposto: sua sensibilidade interpreta o seu parceiro como mimado. A disciplina dele lhe soa como crueldade. Sua agenda sagrada para o filho – que ele não vivencie os erros parentais que você cometeu – não bate com a do parceiro. Essa situação pode desencadear o que chamo de *inferno parental*, quando você testemunha o parceiro e a criança dedicados a alguma versão das coisas terríveis que você fez naquela idade – as mesmas a que jurou nunca submeter seu filho. E então lhe surge a vontade de assassinar o parceiro.

Relaxe. É uma situação normal. Faz parte do pacote. Você pode e vai dominá-la; vai conseguir e até mesmo prosperar como família e casal. Porém, precisa saber como, e é aí que entra o *Bebê, a grande mudança*. Ele vai atingir os desconcertos e tormentos de sua alma, porque tem o paliativo para a sobrecarga: chama-se sabedoria.

Este livro aborda os dez princípios fundamentais que representam toda uma vida de trabalho de Stan, trazidos à tona por Kara. Aprenda a operacionalizá-los, pois, juntos, formam um guia ímpar para o jubiloso, alucinante e desafiador domínio da parentalidade. Esses princípios são tão bem embasados pela neurobiologia e tão superiores aos padrões assimilados por aqueles que crescem e navegam em nossa cultura dominante, que os colocar em prática, mesmo que de maneira imperfeita, pode transformar sua vida. E comece hoje, mesmo enfrentando fracassos. Apenas se lembre de que não precisa passar por tudo isso sozinho. Com este livro, você está abençoadamente bombardeado. Você e seu parceiro conquistarão o *insight* e os equipamentos funcionais de um esquadrão antibombas unido, pronto para combater qualquer explosão ou sobrecarga arremessados no caminho da sua vida familiar.

TERRY REAL, LICSW
Especialista em terapia familiar, palestrante
e autor do livro *The New Rules of Marriage:
What You Need to Know to Make Love Work*[1]

---

1 Em tradução livre, *As novas regras do casamento: o que você precisa saber para fazer o amor funcionar* (N.T.)

INTRODUÇÃO

Quando meu filho tinha um ano de idade, fui entrevistada por um apresentador de um podcast que me perguntou quais as cartas de tarô que descreveriam minha experiência de maternidade. Respondi sem hesitar: "o Louco, a Morte e a Torre". Ainda que você desconheça essas cartas, talvez deduza, só pelas palavras, que minha experiência de maternidade tenha sido intensa. O Louco atendeu ao meu apelo sincero à aventura e à inocência quanto à maternidade, antes de me tornar mãe. A carta da Morte se entrelaçou no início e no final imediatos que vieram com o nascimento do meu filho. E a Torre representou o desabamento de todas as estruturas, o que, a meu ver, foi a minha jornada de mãe de primeira viagem. Portanto, a parentalidade foi um entrelace de alegria, tristeza, preocupação, amor, desconcerto, medo e mais amor; sentimentos que me deixaram petrificada e abatida. No entanto, também tem sido uma experiência fortalecedora, tediosa, solitária, conectiva, surpreendente e infinitamente mais. Em outras palavras, a aventura tem se revelado um *boogie* a toda velocidade.

No dia em que Charlie, meu marido, e eu levamos nosso bebê para casa, eu ainda estava totalmente com a carta do Louco, sem saber o que esperar da parentalidade ou de como ela mudaria minha parceria com Charlie. E nem ele sabia. Ansiosos por embarcar nessa jornada, nenhum de nós se deu conta de que nossa identidade individual e nosso casamento estavam prestes a viver uma significativa reformulação. Não demorou muito para se iniciar a experiência da carta da Torre: o efeito desarticulador da parentalidade afetou quase todos os aspectos de nosso casamento: sexo, conflitos e tudo mais.

Quando Jude tinha apenas alguns dias de vida, Charlie e eu estávamos aconchegados em nosso sofá em uma tarde de inverno, como ocorrera muitas vezes antes, eu do meu lado, Charlie do dele. Mas ali havia uma terceira pessoa, à espera de que *eu* o amamentasse. O aleitamento foi um desafio meio complicado para Jude e para mim, que precisei aprender a direcionar os lábios do bebê ao meu seio para uma boa pega. Tinha de ouvir o som dele sugando e observar o movimento das pequenas mandíbulas, sinais de que estava se alimentando. Caso não o ouvisse sugar ou nem visse a mandíbula se mexer, era hora de acomodá-lo de novo com cuidado e tentar mais uma vez. Por fim, comecei a pensar na amamentação como uma pegada de cada vez e continuei agindo assim até nos tornarmos amamentadores profissionais. Entretanto, naquele dia de inverno, não éramos profissionais, e o aleitamento vinha acompanhado de frustração. Por mais que tentasse, não conseguia uma boa pega.

Finalmente nos ajeitamos. Relaxei ao som de Jude engolindo e senti orgulho e alegria. Consegui! No entanto, ao olhar para Charlie – em êxtase como eu, estimulada pela oxitocina e meu sentimento de realização –, de repente me dei conta de que a amamentação me deixava sedenta. E também percebi que não poderia resolver isso sozinha: Jude estava agarrado em mim, e eu estava plantada no sofá.

– Ei, amor – eu disse –, você pode pegar um copo de água para mim?

Um pedido bem simples, mas que me atingiu como uma bomba proverbial. Eu precisava de Charlie, e de maneiras que não precisara de ninguém antes. Quando ele voltou com a água, fitei-o, as lágrimas rolando pelo meu rosto e a garganta apertada de emoção, e apenas falei:

– Te amo muito. – Não conseguiria dizer mais nada.

Senti uma vulnerabilidade desconcertante, com as cenas em que precisava de Charlie se desenrolando diante de mim. Precisava dele para me ajudar no exercício parental. Precisava dele para me ajudar a cuidar de mim mesma. Precisava que ele passasse por essa nova aventura da parentalidade comigo, intensa como nada que havíamos compartilhado antes. Estávamos unidos para sempre como os pais de Jude.

A jornalista Ellen Cantarow recorreu às palavras de Elizabeth Stone, professora da Universidade Fordham: "Tomar a decisão de ter um filho... é um ato histórico. Implica decidir para sempre que o coração caminhará fora do corpo". Charlie e eu agora temos partes de nossos corações fora dos corpos e precisamos de apoio recíproco de formas novas e mais complexas. A vida nunca mais será tão simples como antes. Ambos vivenciamos a carta da Morte no súbito fim de nossa vida como casal, acompanhado pelo início de nossa família de três.

Bebê, a grande mudança é o livro a que Charlie e eu deveríamos ter recorrido quando nos tornamos pais. Ainda que desfrutando uma fase de casamento pré-parental mais feliz do que triste, enfrentamos muitas dificuldades quando nos tornamos pais. Fomos afortunados por encontrar orientação nos princípios e nas práticas que eu conhecia como terapeuta de casal. Embasamo-nos em particular no conceito de *bolha de casal* desenvolvido por meu mentor Stan Tatkin como parte de seu método psicobiológico para trabalhar com casais. Em poucas palavras, um relacionamento seguro e funcional é aquele em que os parceiros assumem a prioridade e o comprometimento de cuidar de si mesmos e um do outro. Como demonstra a pesquisa sobre a teoria do apego (a importância da força de vínculo entre um parental e um filho nos primeiros anos também se estende a dois adultos em um relacionamento íntimo), assim como as evidências neurocientíficas, esse tipo de funcionalidade segura é o melhor caminho de um casal para o sucesso. Nos próximos capítulos, abordarei o que a teoria do apego e a neurociência oferecem quando você dá as boas-vindas ao seu bebê-bomba em sua equipe de dois.

Charlie e eu nos comprometêramos a praticar a bolha de casal no nosso cotidiano antes de Jude nascer. Cada um de nós defendia as próprias necessidades e desejos, levando igualmente a sério as necessidades e os desejos do parceiro. Respeitávamos nosso acordo de cuidar em primeiro lugar um do outro. Entretanto, ao nos tornarmos pais, descobrimos que precisávamos dobrar os cuidados. De repente, a prática da bolha de casal ficou complicada. A necessidade de priorizar o bebê foi tão intensa que quase seguimos caminhos diferentes e nos perdemos enquanto casal quando Jude entrou em cena. Ele era o sol ao redor do qual orbitávamos. Nossa sala de estar virou um completo tudo-para-bebês, com porta-fraldas e trocador. Meu corpo todo focou em Jude: comia para amamentar e dormia apenas para despertá-lo e alimentá-lo. Vivia consumida pela tendência de zelar pelo bem-estar do nosso filho. Por mais que tal situação fizesse sentido na época, não era sustentável porque afetava a bolha de casal com a qual Charlie e eu tínhamos nos comprometido. Em vez de nos priorizarmos, colocamos Jude em primeiro lugar e nos afastamos um do outro. Na verdade, depois do nascimento do nosso filho, nossa necessidade de cuidar um do outro se intensificou, mas nenhum de nós respeitou esse comprometimento como fazíamos antes da parentalidade. Resultado: sentimentos recíprocos de negligência e mágoa. Estávamos presos em nossos próprios casulos, pais de primeira viagem isolados e brigando um com o outro enquanto tentávamos sobreviver a mais um dia.

Foi preciso muito esforço e trabalho árduo nos meses seguintes para nos proteger enquanto casal até que nós três vencêssemos. Procuramos a orientação não só de nossos casais mentores, amigos e outros pais, bem como de uma variedade de livros, e lentamente cavamos nosso caminho de retorno um ao outro transformados (e sempre nos transformando), mas ainda em uma parceria loucamente amorosa. Agora que somos pais, nosso casamento é mais profundo em relação a confiança, amor, respeito e intimidade. Contudo, toda essa sensibilidade e encanto não afloraram como mágica com a chegada do bebê. Charlie e eu tivemos de amadurecer como equipe e como amantes.

Pais de primeira viagem sempre buscaram informações sobre parentalidade. Afinal, é uma das funções mais desafiadoras da vida, ainda que inexista uma preparação formal para ela. William Sears, coautor do clássico dos anos 1990 *The Baby Book*[2], afirma que as perguntas mais frequentes dos pais de primeira viagem incluem se o bebê está mamando o suficiente, como saber se o vínculo está se formando, como fazer o bebê dormir durante a noite e quando está tudo bem segurar o bebê. Essas são de fato preocupações relevantes para quaisquer pais de primeira viagem. Mas acho que na maioria dos conselhos às mães e aos pais falta destacar como produzir real companheirismo para aumentar as chances de ter sucesso na parentalidade e na parceria. Na verdade, a premissa de *Bebê, a grande mudança* se baseia no fato de que o companheirismo bem--sucedido não constitui apenas uma parte importante da equação, mas representa o primeiro passo para casais que desejam ter êxito como pais.

---

2 Em tradução livre, *O livro do bebê*. (N.T.)

Isso não significa que não se possa desempenhar excelente função parental quando se é solteiro ou que as dificuldades com o parceiro o condenam à péssima prática da parentalidade. Você consegue. No entanto, atuar como casal é parte significativa da vida da maioria dos pais, e o descontentamento ou a angústia na relação primária tem potencial de criar um efeito cascata de contenda que se dissemina por todas as esferas da vida, incluindo a parentalidade. Percebo que, quando Charlie e eu vivemos uma situação conflituosa, a parentalidade se torna mais árdua. Por exemplo, minha paciência pode ficar por um fio, o que talvez me leve a assumir um mau comportamento rotineiro de criança pequena para o lado pessoal, em vez de vê-lo como adequado ao desenvolvimento: situação menos provável quando Charlie e eu estamos firmes e fortes. Tornar-se pai ou mãe (ou qualquer outro tipo de parental) pode desencadear uma transformação selvagem e épica (pense em um baralho completo de Tarô) e, portanto, você e seu parceiro querem estar em um terreno tão sólido quanto possível. Ambos precisam de todo o apoio individual e recíproco.

Nesta introdução, primeiro analiso o impacto do primogênito na vida do casal. A seguir, apresento o conceito de bolha de casal e os dez princípios orientadores para uma parceria e uma parentalidade eficazes, mostrando as formas de integrá-los no processo de tornar-se parentais mutuamente parceiros. Por último, proponho algumas sugestões sobre como usar este livro.

O impacto do bebê

O momento em que eu estava amamentando e pedi água a Charlie, e muitos outros semelhantes, mostrou-me que trazer um bebê para casa é uma experiência maravilhosa e profunda para a qual ninguém está 100% pronto ou preparado. Não existem ensaios. Não existem experiências de tia ou tio que se igualem. E, uma vez que acontece, é impossível voltar atrás. Quando vocês, como casal, decidem ter um bebê, estão convidando o que chamo de *bebê-bomba* para entrar em suas vidas. Não uso essa expressão de modo leviano. Sim, uma bomba pode ter conotações negativas (por exemplo, "bombardeio", o que significa uma desgraça total), mas é cada vez mais usada com conotações positivas ("isto é a bomba", o que significa o melhor). Em essência, bomba refere-se a algo que abala, que é sério e que produz enorme consequência, e gosto de como a palavra incorpora o impacto multidimensional da chegada de um novo bebê. Meu coração aumentava mais e mais conforme me apaixonava por Jude; ao mesmo tempo, minha vida da fase pré-Jude se reduzia a fragmentos que desabavam por toda parte. Com minha rotina toda centrada no bebê, meus relacionamentos com amigos e familiares foram se dispersando, deixando-me com uma equipe de apoio bem reduzida. Minhas necessidades mais básicas estavam à mercê de Jude. Um dia, pedi a Charlie que cuidasse do nosso bebê enquanto eu ia ao banheiro. Sentada lá, pensei: *nem dou conta de fazer xixi sem uma droga de reunião do comitê. Como isso aconteceu?* Sentia saudades da minha antiga vida e isso me fazia mergulhar em uma tristeza tão real quanto meu amor infinito por Jude.

Reiteradas pesquisas apontam que a satisfação conjugal diminui depois do nascimento de um bebê, sobretudo para as mães. Um estudo conduzido na década de 1950 por E. E. LeMasters concluiu que 83% dos pais de primeira viagem viviam uma "crise de moderada a grave". Mais recentemente, o renomado terapeuta de casais John Gottman e seus colaboradores relataram que o nível de satisfação de 67% dos casais "despencou" após o nascimento do primeiro filho. Pense na carta da Torre. Gottman e outros pesquisadores falam que a satisfação se relaciona à comunicação eficaz do casal, à qualidade do tempo que compartilham e ao apoio externo. Talvez você esteja sentindo a perda de alguns desses importantes fatores. Por exemplo, é possível que tenha mais dificuldade em encontrar tempo para conversar com seu parceiro, e mais ainda em resgatar a qualidade do tempo que desfrutavam. Talvez precise tomar decisões sozinho, por não querer aguardar até que seu parceiro esteja por perto e por seus amigos estarem ainda menos disponíveis. Talvez viva o conflito decorrente do aumento da responsabilidade parental, emocional, financeira e logística. Um de vocês precisa estar disponível para o bebê, o que exige uma negociação constante entre o casal. Não surpreende ver novos parentais em conflitos mútuos como resultado de toda pressão e mudança instantânea que o bebê-bomba desencadeia.

No entanto, não nos precipitemos em responsabilizar o bebê-bomba. Os pesquisadores Philip e Carolyn Cowan conduziram um estudo de dez anos sobre os efeitos dos filhos nas parcerias conjugais e criaram a teoria mais moderada de que recai sobre as crianças "uma parcela injusta da culpa pela angústia dos pais". Eles defendem que "se plantam as sementes dos problemas individuais e conjugais dos novos pais muito antes da chegada do primeiro filho", isto é, velhas questões inconscientes ou não resolvidas vêm à tona. Por exemplo, se você está irritada porque seu parceiro não troca tantas fraldas quanto gostaria, é provável que seu relacionamento já tivesse problemas relacionados à igualdade. Sei, por experiência como terapeuta, que, quando questões não resolvidas vêm à tona, somos capazes de compreendê-las e superá-las. Essa perspectiva traz esperança de que você e seu parceiro conseguirão enfrentar a transição para a paternidade/maternidade e desfrutar uma parceria próspera como pais. Neste livro sigo a crença de que, com apoio e orientação, você vai compreender, abrandar e integrar melhor alguns dos aspectos sutis e não tão sutis da crise de se tornar parental.

Nossa gravidez foi planejada. Charlie e eu éramos amigos absolutamente leais havia quinze anos e compartilhávamos uma casa como parceiros por dez quando engravidamos. Ansiávamos de todo o coração por um filho, mesmo cientes de nossos receios. Durante a gravidez, sem sabermos de fato o que temer – exceto uma mudança gigantesca e nebulosa no horizonte –, conversávamos sobretudo sobre nossas esperanças. Ficávamos acordados até tarde falando de todas as façanhas que compartilharíamos com nosso filho enquanto eu acariciava com alegria minha barriga. Como Charlie é músico, vibrava com a ideia de apresentar nosso bebê ao violão e ao piano. Como terapeuta, eu sonhava com um relacionamento em que nosso filho se sentisse seguro para falar sobre qualquer coisa. Conversei com o bebê durante toda a gravidez, li histórias para ele e contei-lhe minhas percepções sobre a vida. Sentia que Charlie e eu estávamos imersos em toda essa coisa de vida-com-bebê, ainda que, olhando agora para trás, estivéssemos meio cegos para o fato de que ele ainda não tinha chegado. A bomba tiquetaqueava, mas, envolvidos pela animação de segurar Jude, esquecemos que a parentalidade vai muito além de escolher um berço, fazer um planejamento de parto e segurar um bebê.

Todas aquelas conversas tarde da noite foram divertidas, mas, quando nos tornamos pais, pouco nos ajudaram no preparo do exercício da maternidade ou no favorecimento da nossa parceria como casal. Quase da noite para o dia, viramos pessoas diferentes com identidades diferentes. Para piorar a situação, praticamente nem sequer dispúnhamos de tempo para falar sobre isso. Estávamos ambos ocupados demais com a parentalidade e com os cuidados de nosso filho. Charlie sempre foi meu muro de arrimo e, depois do nascimento de Jude, sentia muita falta das conversas longas, profundas e substanciosas com meu melhor amigo; sentia falta de seu apoio. Naquele momento, no meio do olho do furacão, era impossível enxergar a floresta pelas árvores. Muito provavelmente, você tem (ou terá em breve) suas próprias árvores, ou seja, áreas de sua vida afetadas pelo bebê-bomba, o que compromete a conquista de uma perspectiva sobre sua nova vida.

Mas, finalmente, Charlie e eu recorremos a um recurso que a maioria dos pais de primeira viagem não tem: meu treinamento profissional como terapeuta de casais. Em outras palavras, muitas das lições, princípios e ferramentas que havia aprendido ganharam relevância para a saúde e a felicidade de nosso casamento. Levamos em conta meus conhecimentos e os usamos na renovação do nosso casamento para incorporar a nova condição de pais. Essas lições e experiências constituem a espinha dorsal deste livro.

Antes de resumir os dez princípios que nortearam a organização deste livro, gostaria que você pensasse sobre o impacto de um bebê em sua parceria. Se vocês estão na expectativa (ou têm esperança de estar) de serem pais pela primeira vez, olhem para o futuro e imaginem. Se já são pais, encarem sua experiência com outros olhos.

IDENTIFICAÇÃO DE UM BEBÊ-BOMBA

Veja a seguir uma lista de aspectos de sua vida que provavelmente sentirão (ou já sentiram) o impacto do bebê-bomba. Sinta-se livre para acrescentar outros elementos. Se você acha que escrever sobre isso pode ajudá-lo a analisar a lista e ordená-la, talvez seja bom iniciar um diário sobre o assunto, o qual consultará enquanto faz os vários exercícios e trabalha com as ideias deste livro.

Se você está na expectativa de se tornar parental (ou espera estar), discuta com seu parceiro o que pensa sobre cada área de impacto. Em que sentido ela é relevante para cada um de vocês? Como lidarão com isso?

Caso já tenha filho, sugiro que você e seu parceiro analisem a lista e classifiquem cada item em uma escala de 1 a 10 (1 = pouco impacto e 10 = intenso impacto). Observe que o impacto pode ser positivo ou negativo:

- Corpo da mãe.
- Qualidade do seu sono.
- Qualidade do sono do parceiro.
- Seu humor e emoções.
- Humor e emoções do parceiro.
- Sua rotina de atividades físicas.
- Rotina de atividades físicas do parceiro.
- Seu trabalho.
- Trabalho do parceiro.
- Sua criatividade e passatempos.
- Criatividade e passatempos do parceiro.
- Suas amizades.
- Amizades do parceiro.
- Seu relacionamento e papel na sua família.
- Relacionamento do parceiro e papel na família dele.
- Dinheiro.
- Suas prioridades e responsabilidades.
- Prioridades e responsabilidades do parceiro.
- Privacidade para o sexo (sua e de seu parceiro).

Os dez princípios norteadores

Muitos casais esperam que o bebê os torne mais próximos, mas, sem a orientação e as ferramentas para lidar com a gigantesca transformação que estão vivenciando, acabam tomando caminhos diferentes. Para evitar essa situação, você precisa de orientação para navegar por essas mudanças e integrá-las à vida do casal.

Enquanto eu processava de que maneiras minhas competências como terapeuta de casal poderiam nos ajudar na nossa transição para a parentalidade, consultei Stan. Pretendia entender como sua abordagem psicobiológica poderia ser aplicada não apenas aos relacionamentos íntimos de adultos, mas também, mais especificamente, aos pais de primeira viagem. Conforme conversávamos, e ao refletir sobre essa questão, percebi que a mesma competência era fundamental em ambas as circunstâncias: a *bolha do casal*, ou seja, viver um relacionamento com os pés no chão, baseado no Trabalho em equipe com T maiúsculo. Abordarei esse assunto no Capítulo 1, mas a ideia básica é que dois parceiros formam um verdadeiro time quando se unem com sensibilidade, imparcialidade, justiça e verdadeira reciprocidade, assim amadurecendo individual e conjuntamente. E Charlie e eu descobrimos esse elemento norteador nos momentos complicados como pais de primeira viagem, o que permitiu nossa reconexão em um nível novo e mais profundo.

Stan e eu sintetizamos os dez princípios norteadores a seguir para uma parceria e parentalidade bem-sucedidas e de funcionalidade segura. Vou explorar cada um com mais detalhes, incluindo exemplos de casais reais, nos capítulos seguintes. Pense neles como a Estrela Polar norteando seu relacionamento, embora não de maneira inflexível:

1. *O casal vem primeiro*. Você e seu parceiro formam uma equipe que prioriza o próprio relacionamento; vocês se tratam com reciprocidade e igualdade, antes de todos os outros aspectos de suas vidas, incluindo aí o bebê. Todos os outros princípios norteadores corroboram este; o processo se assemelha ao critério de colocar a máscara de oxigênio em você antes de cuidar do bebê.
2. *Você e seu parceiro cuidam de si mesmos e um do outro*. Monitoram seus sistemas nervosos e se tornam especialistas que sabem como acalmar ou energizar um ao outro, conforme necessário.
3. *Você e seu parceiro fazem e respeitam acordos mútuos*. Vocês se comunicam aberta e diretamente, inclusive ao formular e manter o compromisso mútuo.
4. *Você e seu parceiro tomam decisões como uma equipe*. Consultam-se sobre todas as decisões, incluindo as relacionadas ao bebê.
5. *Você e seu parceiro valorizam as próprias necessidades e as recíprocas*. Praticam a comunicação direta sobre suas respectivas

necessidades e tratam aquelas que se referem ao outro como de igual importância às pessoais.
6. *Você e seu parceiro se corregulam.* Engajam-se em práticas diárias que os ajudam a administrar o sistema nervoso para a renovação do relacionamento e também para cuidados preventivos.
7. *Você e seu parceiro mantêm o equilíbrio entre família e vida profissional.* Certificam-se de que um bebê não comprometa o equilíbrio entre família e trabalho.
8. *Você e seu parceiro redefinem romantismo para manter viva a conexão do casal.* Em um momento em que sua sexualidade pode estar em maré baixa, vocês separam um tempo para se reconectar e fomentar seu amor.
9. *Você e seu parceiro brigam por dois vitoriosos.* Você sempre supera rapidamente qualquer mágoa e busca uma situação satisfatória para ambos, de modo que nenhum de vocês (ou de seu relacionamento) perca.
10. *Você e seu parceiro vivendo com sensibilidade, respeito e confiança.* Vocês se empenham na criação e na manutenção da bolha de casal no relacionamento, agora e por toda a vida juntos.

Charlie e eu ainda estamos aprendendo e revisando esses princípios, cujo objetivo não é propor uma solução única, mas práticas nas quais possamos trabalhar por nós mesmos e juntos. Eles são a base do comprometimento saudável de uma relação, com o qual continuamente nos comprometemos. E nós dois fracassamos, mas nem por isso deixamos de nos apoiar para praticar de novo.

Considere, por exemplo, nossa decisão de contratar uma babá quando Jude tinha cerca de um ano de idade. Eu havia retomado meu trabalho, ainda que apenas por meio período, quando ele tinha quatro meses, e Charlie antes disso, mas alternávamos nossos horários para evitar recorrer a cuidadores. Portanto, contratar uma babá implicou grande mudança para nós.

Cerca de uma semana antes do primeiro dia da babá de Jude, comecei a me sentir irritada e ansiosa. Pensava que o ideal seria se Charlie ou eu ficássemos em casa. Impressionei-me com a irracionalidade desse desejo, pois ambos amamos nosso trabalho e, de qualquer forma, passávamos a maior parte do tempo em casa com Jude.

Uma noite, impliquei com Charlie sobre algo tão irrelevante que nem me lembro. Logo pedi desculpas:

– Desculpe. Estou sendo tonta, mas sei por que me sinto meio perturbada e estressada; é o fato de deixar Jude com uma babá.

Meu marido me ouviu e retrucou:

– Entendo. Percebi sua irritação a tarde toda. Ia sugerir que conversássemos sobre isso.

Assim que me senti vista e ouvida por Charlie, minha ansiedade diminuiu, e começamos a pensar em uma saída. Eu disse:

– Por que não agendo mais cedo com a babá no início do primeiro dia, para revisar tudo com ela mais uma vez? Assim vou me sentir mais à vontade.

Charlie aprovou e teve outra ideia:

– Vamos conversar ao telefone enquanto você dirige para o trabalho, assim não passará pela experiência sozinha; e eu posso tranquilizá-la.

No primeiro dia da babá, colocamos o plano em prática. Conforme a levava para conhecer nossa casa e recontava todos os detalhes da vida de Jude, eu me sentia mais aliviada. Quando compartilhei com ela que sair para trabalhar me era muito penoso, eu me abri para receber seu apoio. A babá se ofereceu para me enviar informações e fotos durante o dia, e me desmanchei de gratidão.

Depois de beijar Jude, saí de casa e chorei um pouco no carro. Então liguei para Charlie e contei-lhe como fora tudo e como me sentia.

Assim que terminei, ele me tranquilizou e disse:

– Acho que estamos no caminho certo. Temos uma babá confiável, gostamos de nossos empregos e é importante que Jude seja cuidado por outras pessoas afetuosas além de nós.

Eu me senti apoiada, tranquilizada e mais próxima de Charlie. Autorreflexão, confiança e participação nos beneficiaram. Se não tivéssemos sido capazes de agir dessa forma, a manhã talvez se transformasse em um show de merda (sem trocadilhos com fraldas). Estávamos trabalhando todos os princípios norteadores ao mesmo tempo, mas o primeiro – priorizar o casal – nos ajudou a navegar por essa tumultuada experiência emocional. Nosso acordo de priorizar o relacionamento me permitiu ser vulnerável e compartilhar minhas preocupações e sentimentos com Charlie, cuja resposta gentil e sintonizada mostrou que ele também priorizava nosso relacionamento. Meu marido não tentou resolver meus sentimentos ou negá-los; adotou uma postura de solidariedade e veio em minha ajuda. Juntos, cuidamos um do outro. Quando você se familiarizar mais com os princípios norteadores, talvez volte a este caso e entenda como os outros nove princípios também guiaram Charlie e eu.

Integração de parceria e parentalidade

Não importa se você planejou cuidadosamente o seu bebê, como nós, ou se acolheu de todo o coração (ou com alguma ambivalência) uma grande surpresa, a parentalidade só será compreendida de fato na prática. Além disso, não há nenhuma maneira de saber como ela afetará sua parceria. Ganham-se responsabilidades e perde-se autonomia. Sentimentos gigantescos de alegria e amor podem transbordar em meio aos de perda e sobrecarga.

O que você faz para a integração de parceria e parentalidade? O primeiro passo é o reconhecimento de que haverá uma mudança inevitável (se for um casal grávido) ou a vivência de uma mudança (se já forem pais). Entenda que o nascimento de um filho pode gerar uma grande transformação no relacionamento e em vocês como pais de primeira viagem.

O segundo passo se refere ao fato de que a melhor maneira de converter essa transformação em uma oportunidade de desenvolvimento máximo está no apoio, o que significa começar com sua parceria. Você e seu parceiro precisam ser capazes de apoiar e cuidar um do outro antes que consigam cuidar do bebê de maneira eficaz. O elemento-chave nesse sentido é criar um relacionamento de bolha de casal. Stan escreveu sobre essa questão em *Wired for Love*[3], um manual para parceiros que desejam se tornar uma dupla eficaz. *Bebê, a grande mudança* se baseia nesse trabalho, mostrando como criar um relacionamento de bolha de casal que integre parceria e parentalidade.

---

3 Em tradução livre, *Conectado para o amor*. (N.T.)

O objetivo deste livro é que você aprenda a construir a bolha de casal em seu relacionamento com o bebê. Isso inclui como você permite que seus filhos saibam que estão em segurança, que eles são importantes, valiosos e dignos de amor e pertencimento. Inclui como você se mostra para seus filhos quando eles choram. E como você os conforta quando baqueiam e sinalizam que precisam de conforto. Inclui como você os coloca para dormir à noite com carinho e seguindo um ritual. E como se sintoniza com as necessidades deles quando desejam compartilhar uma palavra interessante ou alguma nova habilidade ou proeza que aprenderam. Todas essas pequenas escolhas que faz para se aproximar dos seus filhos e atender às necessidades e aos desejos deles são os blocos de construção de um relacionamento de funcionalidade segura, benéfico para o casal e para o bebê. É um triunfo triplo.

Como usar este livro

Este livro apresenta uma jornada com o objetivo de que vocês encontrem seu caminho como casal, como cocriadores, como amantes, como amigos e como pais. Não se destina a propor uma estratégia rápida, mas sim a dar a você e ao seu parceiro um conjunto de práticas que ambos poderão incorporar ao seu cotidiano, adaptando-as, conforme necessário, à situação singular da vida do casal. O livro está organizado em três seções: "Um grupo de dois" ajuda a formar um time de parceiros fortes; "Dois viram três" o orienta durante a transição da chegada do bebê; e "Prosperidade para o grupo de três" explica como usar os princípios norteadores de forma contínua em sua parceria e família.

Cada capítulo inclui ferramentas, técnicas e exemplos de como você e seu parceiro não só podem acolher o bebê na família e todas as mudanças decorrentes, mas também aprenderem a se desenvolver juntos. Compartilho muitos exemplos reais de como casais (além de Charlie e eu) os colocam em prática, mostrando momentos em que tropeçam pelo caminho, como o encontram de volta e conseguem retomar os princípios norteadores. Eu sei que a primeira parentalidade é indisciplinada nas demandas sobre seus recursos, mas a experiência será mais gratificante se você conseguir tempo e foco para ler os capítulos em sequência, porque cada um se estrutura no anterior.

Os princípios norteadores do livro e a consciência das diferenças culturais também na comunicação o tornam relevante para um público diversificado. Isso inclui casais mais jovens que têm um filho antes da consolidação das carreiras profissionais e casais mais velhos com carreiras estáveis. Meus exemplos se focam principalmente na chegada do primeiro filho, mas os mesmos princípios são válidos se você tiver um segundo (ou mais) ou se estiver ampliando sua família por meio de adoção ou barriga de aluguel. E mais, os princípios se aplicam a casais cujo parceiro fica em casa com o bebê e àqueles que trabalham, estendendo-se a casais homoafetivos e heterossexuais. Também se aplicam a pessoas que moram na cidade ou no subúrbio, ou que passam por uma recessão, crise mundial ou pandemia. Portanto, se você está aqui como um casal grávido ou nas torturas da parentalidade de primeira viagem, seja bem-vindo. Este livro pretende ajudá-lo a integrar seu precioso bebê-bomba.

Talvez você se pergunte como tantas famílias aparentemente diferentes encontrariam utilidade no mesmo livro. Como veremos nos próximos capítulos, a resposta está no amplo leque de aplicação da bolha de casal, norteada por princípios que criam uma estrutura subjacente sobre a qual você pode ser parceiro e parental ao mesmo tempo, e pouco importam outras circunstâncias de sua vida familiar e até mesmo a situação mundial.

Parentalidade e parceria constituem a aventura de uma vida inteira. Espero que se conforte em saber que não está sozinho em sua luta, pois parceria e parentalidade incorporam desafios para quase todos. Além disso, mesmo que seus próprios pais não sejam um exemplo que você deseja imitar, poderá encontrar seu caminho por meio do desconhecido selvagem junto com seu parceiro. Todos são capazes de aprender, ainda que não tenham sido inspirados para tal situação. Eu aprendi.

Por fim, este livro não pretende ser um substituto da terapia de casal, da terapia do trauma ou de outras formas que exijam apoio profissional. A parentalidade e a parceria podem trazer à tona velhos traumas ou mágoas relacionadas ao apego. Caso perceba que isso esteja acontecendo com você ou com seu parceiro, incluí recursos para ajuda profissional no final do livro.

parte I

UM GRUPO DE DOIS

capítulo 1

EQUIPE DE PARCEIROS

Paira um clima de tensão na sala de estar quando Lillian traz o pijama e o cobertor para Leo. Oliver está acomodado no sofá, olhos no filho de dezoito meses, mas sem o focar. Perdido em pensamentos, tenta processar o que acontece entre ele e Lillian e o motivo pelo qual a hora do jantar foi tão complicada, especialmente nesta noite. *"Eu disse que desejava ser um pai mais participativo e ela ignorou. Parece não acreditar que sei como ser um bom pai".*

Lillian diz:

– Tudo bem, Leo, é hora de colocar seu pijama.

– Não! – Leo pega o pijama e o atira para Oliver.

Lillian insiste, tentando mostrar paciência:

– Está na hora de dormir. Por favor, traga o pijama.

Mas Leo se esconde.

– Não, mamãe! Não!

Lillian suspira e questiona Oliver:

– E aí? Vai ficar só olhando?

O corpo de Oliver estremece, como se despertado de um sonho, e ele parece surpreso, o que irrita ainda mais Lillian, que se pergunta: *"Por que eu acredito quando ele fala sobre exercermos a parentalidade juntos? Ele nunca fala a sério".* Então, agarra o pijama e não esconde a contrariedade.

– Acho que sou mãe solo esta noite; você está aqui, mas não está. Que maravilha esse truque de desaparecer, mesmo sem o seu celular.

Oliver retruca na defensiva:

– Do que você está falando? Estou bem aqui. E não fico *sempre* no celular!

– Ah, pouco importa. – Lillian revira os olhos. – É melhor eu dormir sozinha com o Leo, e aí você vai cuidar do que seja lá que quer fazer.

Oliver sente o ressentimento se intensificando.

– Falei no jantar, Lilly: quero passar um tempo com você e o Leo. É difícil me desligar do trabalho quando tenho um prazo de entrega e meu projeto não está indo bem. Não sei por que é tão complicado para você entender isso.

Lillian dispara ao companheiro um olhar de indiferença e, dando-lhe as costas, pega Leo no colo e diz:

– Fale "boa noite" para o papai. Vou arrumar você para dormir.

Oliver caminha para o escritório com pesar e abre o arquivo em que trabalhava antes do jantar. O projeto lhe parece mais fácil do que lidar com Lillian. Não tinha progredido muito quando a cabeça dela apareceu na porta. Sem esperar que Leo dormisse tão rápido, ele se assusta novamente.

– Por que tem de me espionar? – ele questiona quando vê a irritação da mulher. – Você me disse para trabalhar, e foi isso que fiz. E agora está interrompendo. Sério, não sei *o que* você quer.

– Quero resolver toda essa tensão entre nós. Mas acho que só eu me importo. Juro, não vejo sentido em continuar nosso relacionamento! – Sem esperar resposta, Lillian se vira e volta para a sala, onde pondera sobre como Oliver a decepcionou e começa a elaborar um jeito de se blindar contra ele.

〉〉〈〈

Conflitos desse tipo são dolorosos e difíceis para os parceiros. Lillian e Oliver não depararam com um motivo claro de divergência; pareciam mais parceiros afundados em uma mágoa pessoal e recíproca. Em vez de cuidarem da própria dor e da dor um do outro, recorreram a estratégias de ataque ou evitação. Ambos os comportamentos (ataque e evitação) são destrutivos e pioram à medida que cada parceiro se entrincheira mais no seu estilo.

Convidar outro camarada (seu bebê) para a situação pode aumentar não só o nível de estresse, como também a probabilidade de conflitos se você não reconhecer que ambos são, antes de mais nada, um casal. Muitos problemas enfrentados por pais de primeira viagem podem remontar ao fracasso em formar uma base sólida do casal antes de se tornarem um grupo de três. Mesmo que já tenham estabelecido uma estrutura firme enquanto parceiros antes da parentalidade, vocês ainda precisam aprender a cuidar do cotidiano do casal ao mesmo tempo que cuidam do bebê. E se, como Oliver e Lillian, enfrentam dificuldades, não é tarde demais para construir um relacionamento de bolha de casal. Se ainda são um grupo de dois ou já se tornaram um grupo de três, vou lhes apresentar os princípios norteadores e as ferramentas necessárias para transformar sua parceria em uma relação segura e funcional.

Neste capítulo, discuto o primeiro princípio norteador e apresento a primeira de duas ferramentas teóricas que ajudarão a construir esse tipo de relacionamento: o *continuum* do apego. A segunda ferramenta, a regulação do sistema nervoso, será abordada no próximo capítulo. Armados com esses dois carinhas, vocês poderão se entender melhor e reagir um ao outro com cuidados afetuosos.

PRINCÍPIO NORTEADOR 1: *o casal vem primeiro*

Quando duas pessoas estão vivenciando o processo da paixão e tornando-se parceiras, há quase sempre uma fase – alguns chamam de *lua de mel* – em que ambas se disponibilizam mais do que nunca para o relacionamento. Naturalmente priorizam o casal, que constitui a grande novidade em suas vidas. É bom nessa etapa que se ajudem mutuamente, passem um tempo juntos e façam cada um sentir-se especial para o outro. Conflitos como o de Lillian e Oliver são muito raros.

Em toda parceria íntima, em algum momento essa fase acaba e é substituída por outra, caracterizada pela redução do entusiasmo e da inspiração. A vida tende a se normalizar, com potencial para muitas distrações do grupo de dois. De repente, começa-se a pensar mais na carreira profissional e como a direcionar, ou na forma de progredir nela, ou em um desafio criativo, ou em um novo *hobby*, ou no encontro com amigos. Ou em ter um filho. Enfim, começa-se a priorizar alguma outra coisa em detrimento da parceria. Em vez de evoluir e virar uma equipe sólida, o relacionamento vira vocês dois... associados a muitos outros parceiros de equipe. Sem dúvidas, amigos e familiares sempre desempenharão um papel importante na vida do casal e, claro, empregos e outras atividades preencherão horas do dia. A equipe expandida só se torna problemática quando um dos dois deixa de priorizar o relacionamento, permitindo que outras pessoas (ou outros interesses ou atividades) demandem mais do seu tempo e atenção do que dispensam um ao outro.

Não pense que enfrentará uma transição suave de um grupo de dois para um de três e que o processo acontecerá naturalmente, sem empenho. A maioria dos casais precisa trabalhar essa fase, aprender a cuidar um do outro enquanto juntos cuidam do filho. Formar uma bolha de casal é a expressão prática do nosso primeiro princípio norteador: o casal vem em primeiro lugar. Você talvez receie fracassar na bolha; talvez pense que precisará de um parceiro ou de uma parceria perfeitos. Não é o caso! Isso não existe. O fundamental, e incrivelmente valioso, é uma equipe que proporcione aos dois o sentimento de amor, pertencimento e segurança, zelada por ambos, que também serão igualmente responsáveis pela saúde do casal. Todas as escolhas que fazem como uma equipe segura e funcional se resumem em acreditar e agir segundo o pressuposto de que vocês estão sob os cuidados um do outro. No dia a dia, isso significa:

- Ser claro quanto às suas próprias necessidades e desejos, ouvir as necessidades e os desejos do parceiro e cuidar de ambos da melhor maneira possível.
- Estar ciente de seus próprios padrões de relacionamento e também dos que envolvem o parceiro. Usar essa consciência para fomentar a conexão e intuir futura desconexão.
- Ao se sentir desconfortável com alguma coisa relativa ao parceiro, conversar diretamente com ele.
- Ser gentil e respeitoso na comunicação. Quando você pisar na bola – porque, sejamos francos, às vezes você pisa –, pedir desculpas com sinceridade.

- Tomar decisões em conjunto e buscar uma solução ganha-ganha mesmo que viva conflitos ou qualquer problema, ou que o equilíbrio do relacionamento esteja meio fora de controle.
- Formar uma equipe coesa e, se alguém negligenciar o compromisso, apoiar um ao outro com responsabilidade e sem fugir aos princípios da bolha de casal com os quais concordaram.

Vamos detalhar cada uma dessas qualidades – e outras – relativas a uma equipe que busca uma bolha de casal neste capítulo e nos seguintes. No entanto, iniciaremos examinando o *continuum* do apego, o primeiro de nossos dois fundamentos teóricos, e ver o que ele nos diz sobre a importância de priorizar o casal.

O *continuum* do apego

Quando Stan estava desenvolvendo sua abordagem psicobiológica para ajudar casais a vivenciarem relacionamentos amorosos e duradouros, recorreu aos teóricos do apego, como John Bowlby e Mary Ainsworth. De acordo com a teoria do apego, as crianças precisam de uma experiência de vínculo forte e confiável com seus responsáveis primários para se sentirem seguras na vida. Quando se recebe essa base de segurança em tenra idade, desenvolvem maneiras de explorar com mais facilidade as experiências lúdicas, confiar nos outros, lidar com a angústia e desenvolver a autoestima e a autossuficiência. Caso contrário, é possível que esses aspectos da vida sejam comprometidos.

Por que isso importa? Porque a qualidade do vínculo de apego precoce pode ter um efeito duradouro na criação de relacionamentos adultos. John Bowlby postulou que o apego é um processo que se estende por toda a vida, e outros pesquisadores desde então confirmaram que o nível de segurança desempenha papel significativo na parceria íntima primária, na parentalidade e nos relacionamentos com amigos próximos e colegas de trabalho. Se os parceiros têm uma base segura quando se tornam pais, ambos são capazes de relaxar com mais facilidade diante de cada novo desafio. Priorizar a vida a dois será natural na medida em que não duvidam de proteção recíproca. No entanto, se essa base não for sólida, provavelmente será difícil o casal se priorizar, pois cada parte deverá estar muito centrada na tentativa de encontrar um senso de segurança pessoal e ter suas próprias necessidades atendidas primeiro. Como resultado, o filho pode crescer sentindo-se pressionado a fornecer segurança para os pais, o que não é um fardo que se queira que ele assuma.

Em *Wired for Love*, Stan descreve três estilos clássicos de apego: seguro, inseguro-ambivalente e inseguro-evitativo. (Ele os chama de "âncora", "onda" e "ilha", respectivamente.) É importante saber que esses estilos, ainda que desenvolvidos com base na experiência de vínculo na primeira infância, não são fixos e predeterminados. Pode-se estar seguro em uma situação ou em um relacionamento e não em outro. Ou se pode estar mais seguro em um momento da vida e menos em outro. E, talvez o mais importante, é possível aprender e desenvolver maneiras de tornar a relação mais segura, e você e seu parceiro podem fazer isso juntos.

● **AMARELO**
Âncora
Seguro

● **VERMELHO**
Onda
Inseguro-ambivalente

● **AZUL**
Ilha
Inseguro-evitativo

Gosto de pensar que os três estilos básicos de apego existem em um *continuum* circular. Como não há estilos "errados" ou "negativos", costumo visualizar o *continuum* com cores vibrantes. Vejo o seguro em tons de amarelo, que se deslocam em direção ao ambivalente em tons de vermelho, que se movem, por sua vez, rumo ao evitativo em tons de azul e de volta ao amarelo. Esses tons possibilitam apreciar a complexidade e as variações em cada estilo de apego. Por exemplo, no campo do estilo amarelo seguro e azul evitativo, você pode se ver como verde. Use as descrições deste capítulo referentes a cada estilo para identificar onde está agora e como se mover no *continuum* de acordo com os altos e baixos no seu relacionamento e na vida.

Ainda que me identifique em especial com o amarelo seguro, posso também me identificar com o ambivalente ou o evitativo, dependendo da situação. Por exemplo, sob o estresse da primeira maternidade, descobri que caminhava rumo a um ambivalente vermelho vivo. Uma noite, depois do trabalho, cheguei em casa tarde, exausta, atordoada pela privação de sono. Preparei um lanche e fui buscar a bomba de tirar leite para o bombeamento noturno. Palavras são incapazes de descrever toda minha angústia quando percebi que a tinha deixado no trabalho! Na minha mente, tudo ficaria bem se Charlie apenas dirigisse até lá e a pegasse. Mas ele não se ofereceu para buscá-la e ainda sugeriu o uso de uma bomba que trouxemos do hospital quando Jude nasceu. Eu nem sequer sabia usá-la.

Em uma repentina explosão de frustração decorrente do cansaço, atirei a bomba do hospital no chão da cozinha. Charlie e eu agora rimos do episódio, mas naquele momento foi um choque ver-me indo para o vermelho. Já estava oscilando para o laranja por consequência do esgotamento físico, mas sentir a falta de apoio de Charlie me empurrou direto para o vermelho vivo. Compreender nossos estilos de apego nos tem ajudado a dar e receber apoio enquanto percorremos nosso caminho em torno do *continuum*.

Amarelo seguro

As pessoas na parte amarela do *continuum* tiveram cuidadores primários bastante competentes em interpretar seus sinais e cuidar de suas necessidades na primeira infância. Vivenciaram saudáveis contatos físicos e emocionais. Como adultos, tendem a se sentir confortáveis com a própria imagem corporal e seguros na sexualidade. Também são confiantes de que podem contar com os outros e vice-versa. Não têm problemas em reconhecer que necessitam dos outros e acham fácil pedir que suas necessidades sejam atendidas. Não priorizam estar com outras pessoas ou sozinhas; apreciam ambas as opções. Se já não estão colocando naturalmente sua vida a dois em primeiro lugar, aceitam bem a sugestão, pois reforça a segurança e a solidariedade de equipe que sentem com o parceiro.

Por se reconhecerem quase sempre apoiadas, as pessoas do amarelo conseguem promover os ajustes apropriados no instante presente. Compromissos com projetos, gente e situações não lhes causam problemas. Valorizam os relacionamentos e esperam que sejam construídos e levem tempo para se desenvolver. Em momentos difíceis, comprometem-se instantaneamente com a busca de soluções. Em casa ou no trabalho, são capazes de avaliar uma situação problemática e identificar possíveis benefícios para ambas as partes. Isso não significa que as pessoas com esse estilo de apego permaneçam para sempre no trabalho ou nos relacionamentos. Se permanecer não for bom para elas, caem fora. Por exemplo, se perceberem falta de reciprocidade em uma relação, sairão dela porque se importam consigo mesmas e sabem que merecem o melhor. Quase sempre são autoconscientes e usam essa característica de modo positivo no trabalho e nos relacionamentos, assumindo a responsabilidade tanto pelos sucessos quanto pelos fracassos.

EU SOU UM AMARELO? MEU PARCEIRO É?

Algumas destas características lhe parecem familiares? Consegue se ver nesta parte do *continuum* em determinadas situações? E quanto ao seu parceiro? Neste exercício, considere estas questões:

- Sinto-me igualmente confortável só e em companhia de outros?
- É fácil para mim comprometer-me com relacionamentos, projetos e metas?

- Tenho facilidade para me ajustar a novas situações e necessidades?
- Sinto-me confortável tanto para admitir que tenho necessidades e posso expressá-las quanto para aceitar as necessidades alheias?
- Acho conflitos desconfortáveis, mas consigo suportá-los?

Azul evitativo

Aqueles no lado azul do *continuum* tiveram cuidadores primários desatentos e sem disponibilidade física e emocional para cuidar de uma criança. Quando as pessoas do azul, ainda na infância, davam sinais de que necessitavam de cuidados, eram quase sempre ignoradas. Como resultado, pararam de emitir sinais e passaram a confiar em si mesmas para atender às próprias necessidades. Na idade adulta, evitam situações em que dependam exageradamente de outros. São bastante autossuficientes e acreditam que a vida é melhor assim. *É possível que tenham dificuldades em colaborar* com outras pessoas, pois gostam de trabalhar sozinhas. Podem entrar em um estado de transe ao trabalhar ou criar e são sensíveis a interrupções. Muitas seguem carreiras profissionais criativas que demandam muito tempo trabalhando sozinhas para o sucesso.

Priorizar a vida de casal pode soar ameaçador para os azuis, pois acham que, se tiverem de colocar o relacionamento em primeiro lugar, suas necessidades não serão atendidas. Preocupa-lhes também não conseguirem atender às necessidades ou aos desejos do parceiro. Quando os azuis sentem que aborreceram ou desapontaram o companheiro, tendem ao distanciamento físico, como sair de um certo cômodo ou de casa, ou à retração emocional. Também é possível que desistam de um relacionamento ao primeiro sinal de problema. Os azuis não trabalham em equipe com naturalidade e podem resistir a assumir compromissos; no entanto, quando envoltos em um relacionamento, um de seus pontos favoráveis é a pouca exigência: não esperam que um parceiro faça por eles o que temem que não consigam fazer pelo parceiro.

EU SOU UM AZUL? MEU PARCEIRO É?

Algumas destas características lhe parecem familiares? Consegue se ver nesta parte do *continuum* em determinadas situações? E quanto ao seu parceiro? Neste exercício, considere estas questões:

- Acho que consigo cuidar melhor de mim mesmo do que qualquer outra pessoa?
- Tenho dificuldade em confiar nos outros para cuidados e nutrição adequados?
- Prefiro ficar sozinho?
- Tenho orgulho de não ser muito exigente?
- Se meu parceiro me aborrece, preciso me isolar para recalibrar antes de voltar?

Vermelho ambivalente

Movendo-nos pelo *continuum*, chegamos aos vermelhos. Essas pessoas tiveram cuidadores primários que estavam, muitas vezes, em um estado de sobrecarga e enfrentaram dificuldades para atender às necessidades das crianças. Como resultado dessa atenção inconsistente, as pessoas do vermelho passaram a acreditar que são complicadas e talvez até desagradáveis. A ambivalência decorre do fato de que, por mais que desejem criar vínculos amorosos, temem não conseguir. Acostumaram-se a sentir necessidade de cuidar dos outros antes de si mesmas. Na verdade, a partir de tenra idade, contaram com cuidadores primários que talvez tenham recorrido à criança como forma de atender às próprias necessidades de ordem emocional.

Essas pessoas adorariam priorizar a vida do casal, pois desejam muito viver o pertencimento da segurança a dois e serem boas jogadoras de equipe. Contudo, priorizar o casal pode ser uma proposta complicada – até mesmo assustadora – para elas. Ainda que os vermelhos gostem de cuidar dos outros, têm dificuldades para o exercício do autocuidado. Receiam se impor aos outros, por isso lhes é difícil explicitar diretamente as próprias necessidades e desejos, mesmo que isso permita a formação do ressentimento. Também tendem a sentir dificuldade em ficar sozinhos; são sensíveis à sensação de abandono ou esquecimento e podem se tornar dependentes quando esses medos são estimulados. Preocupam-se com as mágoas e injustiças do passado com bastante facilidade e lutam para estar no momento presente ou olhar para o futuro. Quando se aborrecem, tendem à necessidade de falar de seus problemas, não necessariamente em busca de conselhos ou ajuda, mas para serem ouvidos e se reencontrarem. Vez ou outra se sentem irritados com o parceiro, com um amigo ou um membro da família, mas dificilmente descobrem o porquê.

EU SOU UM VERMELHO? MEU PARCEIRO É?

Algumas destas características lhe parecem familiares? Consegue se ver nesta parte do *continuum* em determinadas situações? E quanto ao seu parceiro? Neste exercício, considere estas questões:

- Sinto-me mais confortável cuidando dos outros do que cuidando de mim mesmo?
- As separações são complicadas para mim?
- Às vezes, sinto-me irritado com meu parceiro, mas não sei o motivo?
- Prefiro interagir com outras pessoas a ficar sozinho?
- Sinto-me desconfortável com minhas necessidades e tenho dificuldade em pedir diretamente que sejam atendidas?

Revisitando Lillian e Oliver

Agora que você está familiarizado com o *continuum* do apego, quer adivinhar em que espectro Lillian e Oliver podem estar? Acho seguro dizer que Lillian se identifica com o vermelho, enquanto Oliver está sentadão no azul.

Vamos comprovar isso pela observação dos comportamentos e das falas de cada um. Quando Oliver está desconfortável, recorre aos distanciamentos emocional e físico. Sente-se mais seguro evitando contato e se isola em seu escritório, mas se desestabiliza com as interrupções de Lillian. Na verdade, o que pode parecer uma busca por contato de alguém não azul soa a ele como uma invasão, o que o leva à tendência de devanear durante as interações com Lillian e à dificuldade em ouvir o que ela está dizendo. Oliver filtra as palavras da companheira sob um prisma defensivo para críticas e constrangimento, o que dispara nele um alarme de ameaça. Não está priorizando o casal.

Por sua vez, mesmo Lillian querendo priorizar o casal, não sabe como agir, o que desperta uma ambivalência assustadora: deseja se conectar com Oliver, mas receia que não haja reciprocidade. Ela se sensibiliza com o estado emocional ausente do companheiro e a aparente incapacidade dele de estar presente como pai. Esse contexto aumenta o medo de ser abandonada. Não conhecemos a infância de Lillian, mas sua reação sugere que a presença de um ou mais de seus cuidadores primários não foi consistente, situação que a faz esperar a falta de apoio de Oliver. Isso também explicaria o porquê de manifestar irritação de formas indiretas. Veja, por exemplo, o aborrecimento por Oliver não estar ajudando com Leo. Em vez de lhe pedir diretamente que encontrem uma solução juntos, expressa a raiva de modo indireto, dizendo-lhe para ir cuidar da própria vida, palavras que manifestam o oposto do que ela deseja. E ainda parece ter mais facilidade em dar atenção às necessidades do filho do que às dela. Veja se consegue notar e nomear outros comportamentos que colocam Lillian ou Oliver em diferentes partes do *continuum* do apego.

A capacidade de colocar a si e a seu parceiro no *continuum* em um determinado momento é uma ferramenta útil. Pode ser o primeiro passo para aprender a priorizar o casal se isso ajudar que entenda por que seu estilo de apego dificulta essa ação. Antes de examinarmos, no próximo capítulo, como pode usar pistas do sistema nervoso para subir de nível nesse trabalho, vamos ver como a interação entre Lillian e Oliver poderia ser se entendessem o funcionamento dos próprios estilos de apego.

Desta vez, assim que Lillian entra na sala de estar com o pijama e o cobertor de Leo, vê Oliver no sofá, olhando para o filho, mas sem vê-lo.

Ela odeia quando ele se distancia, mas, em vez de atacar, respira fundo.

– Tudo bem, Leo, vamos colocar seu pijama em um minuto – diz. Então se dirige a Oliver: – Sei que nossa conversa anterior não foi legal.

Ele se assusta, perturbado com o fato de Lillian invadir seus pensamentos sem pedir permissão. Mas, neste caso, está agradavelmente surpreso por ela não o estar atacando.

– Sim – responde. – Estava pensando nisso.

– Estava mesmo?

Oliver concorda e dá uma risadinha.

– Acho que estou no meu eu azul novamente. Desculpe.

Lillian sorri.

– Não se desculpe. É difícil quando seu traseiro azul se choca contra meu vermelho vivo que já estava começando a acender no jantar. – Então, olha para Leo, que está atirando o pijama para o alto, e deseja que Oliver se levante, pegue o filho e o leve para a cama, como quase sempre faz quando as coisas estão bem em sua pequena família. No entanto, sente que não é o momento de tocar no assunto. Em vez disso, diz: – Acho deveríamos conversar mais tarde, tudo bem?

– Concordo – Oliver responde. É difícil olhar para Lillian porque sabe que ela está decepcionada, mas consegue dizer: – Dá para colocar o Leo na cama sozinha? Estou atrasado no projeto e não consigo fazer as duas coisas, cuidar do trabalho e conversar depois se ficar com você para cuidar do Leo agora.

Lillian quer objetar que ele deveria ter planejado melhor seu tempo para que não precisasse negligenciá-los. Entretanto, percebe que são seus pensamentos vermelhos falando, e Oliver está se esforçando para priorizar o casal. Na verdade, está exalando um belo amarelo.

– Certo! – exclama e pega Leo no colo. – Fale "boa noite" para o papai. Sou uma sortuda por colocá-lo para dormir. E papai terá essa sorte uma outra noite.

))((

Neste cenário, Lillian e Oliver foram capazes de reconhecer seus respectivos estilos de apego e como eles afetam sua convivência, o que lhes

Equipe de parceiros

permitiu trabalharem juntos de maneira mais leve como uma equipe. Lillian não levou a retração de Oliver para o lado pessoal nem o atacou. Oliver assumiu a responsabilidade por seu comportamento azul e concordou em conversar mais tarde. Nenhum dos parceiros constrangeu o outro pelo *status* de cor do momento; em vez disso, ambos se apoiaram identificando e aceitando esse *status*. No final, tenhamos esperança de que eles revisitem os eventos relacionados à relação a dois em um momento bom para ambos e continuem a construir uma equipe com parceria sólida.

Observe que um bom trabalho em equipe não depende de você e seu parceiro terem o mesmo estilo de apego. O fundamental está em conhecerem seus estilos e o funcionamento deles na equipe. Essa consciência é a teoria do apego em ação, que dá ao casal uma base segura, para que sempre saibam que podem voltar para casa.

O que dificulta a aplicação deste princípio?

Muitas coisas podem dificultar a prática de priorizar o casal. Você e seu parceiro talvez se sintam nadando contra uma intensa corrente que os empurra no sentido contrário. Essa corrente pode fluir em âmbito pessoal, como pensamentos decorrentes de seu estilo de apego e mensagens insistentes para que se afaste da parceria, ou pode fluir de uma cultura mais abrangente, que transmite mensagens que valorizam o esforço individual em detrimento do trabalho em equipe. Vamos explorar as duas possibilidades.

O que a mente lhe diz

"Meu parceiro nunca me escuta. Se algum dia formos comprar um carro novo, terei de resolver tudo sozinha." "Meu parceiro só me ajuda se eu pedir. Ele é muito egoísta." "Nunca digo a coisa certa. Acho que sou um parceiro horrível."

Mesmo que ame seu parceiro e considere interessante a ideia de formar uma equipe sólida, o vermelho ou o azul podem surgir furtivamente e dominar sua mente. De repente, ela está falando em hipérboles e contando-lhe histórias terríveis sobre seu parceiro ou sua parceria. Apesar de ter as melhores intenções, você salta do modo equipe para o modo de autoproteção.

Nesse caso, o que fazer? Trabalhar a própria mente *é* um projeto para a vida inteira, e aprender sobre seu estilo de apego constitui apenas uma etapa. Aqui estão algumas dicas para começar a negociar esse processo:

- Quando suas cores vermelha ou azul brilham, é provável que haja uma mensagem lá da infância ou de um relacionamento anterior. Se notar um pensamento relacionado à autoproteção (por exemplo, pensar que precisa fazer as coisas sozinho ou que não faz nada direito), desafie-se a explorar a origem dessa mensagem para que comece a revertê-la, se não for produtiva para seu parceiro de equipe.
- Observe quando ouve sua mente se manifestando em termos de *sempre* ou *nunca*. Raramente as pessoas sempre ou nunca fazem alguma coisa. Desafie-se a pensar em exceções para esse tipo de informação.
- Seja receptivo à possibilidade de estar vivenciando algum tipo de sofrimento. Procure o gatilho da dor. Converse com o seu parceiro. Por exemplo, "Minha mente está me contando uma história maluca de que você não me ama mais", ou "Fico muito magoado quando você despreza minhas ideias".

O que a cultura lhe diz

Alguns dos pensamentos que o atingem negativamente *não* decorrem tanto de sua primeira infância ou de relacionamentos passados, pois se relacionam à cultura. Quando digo *cultura*, refiro-me à cultura popular ocidental dominante, que transmite muitas mensagens – sutis e não tão sutis assim – para nos vermos como indivíduos e não como parte de uma equipe. E também dizem aos pais que priorizem o bebê, não o casal.

Vamos dar uma olhada em duas dessas mensagens e como neutralizá-las em prol do fortalecimento da equipe. Você notará que os obstáculos culturais são um tema recorrente neste livro. Em muitos capítulos, examinaremos mensagens culturais relevantes para os princípios norteadores neles discutidos.

A cultura do ou-ou. "Não posso mudar de emprego, porque meu parceiro precisa cursar pós-graduação." "Sempre passamos as férias com meus sogros." "Preciso reservar um retiro de dez dias para que tenha um pouco de paz e tranquilidade sem minha família."

Essas mensagens culturais nos impelem a uma escolha ou-ou: priorize a si mesmo ou priorize seu parceiro. Além disso, o autocuidado é a primazia subjacente e, se cuidar de seu parceiro primeiro, ficará perdido. Em outras palavras, você não pode contar com ninguém para cuidar de si. Falso. Essa é uma falsa dicotomia cuja origem está em uma cultura voltada para a individualidade. No entanto, você e seu parceiro podem aprender o cuidado recíproco. Não deve haver uma escolha do tipo ou-ou. Ambos escolhem, assim priorizam o casal.

Nesse sentido, o que fazer? Na verdade, você não precisa permitir que essas mensagens culturais norteiem seu relacionamento. Aqui estão algumas sugestões para identificar e retificar qualquer aspecto que comprometa a parceria de sua equipe:

- Perceba quando essas mensagens aparecem em reportagens, filmes, programas de televisão e outras mídias.
- Observe-as em seu próprio relacionamento.
- Compartilhe suas observações com seu parceiro.
- Converse com ele como tais mensagens se manifestam em sua parceria e encontre soluções ganha-ganha; vocês dois devem escolher o benefício para ambos.

O bebê vem primeiro. "Quando você vai se decidir?" "A idade fértil não vai durar para sempre. O tempo está correndo." "Bebês salvam casamentos."

Cada mulher que conheço precisou lidar com a mensagem cultural de que ter um bebê é parte de sua vida, completando-a como um indivíduo. Mesmo antes de menstruarmos e podermos ter bebês do ponto de vista biológico, já convivíamos com o elemento cultural de que algum dia teríamos um filho. Ora bolas! E, caso não quiséssemos ser mães, nossa escolha, na melhor das hipóteses, soaria estranha, e na pior, egoísta. A cultura pressiona tanto as mulheres para começarem uma família que, quando engravidamos, é difícil conseguirmos priorizar o casal. É difícil desligarmos o som alto e persistente do coro dizendo: "Bebê, bebê, bebê, bebê! Tudo para o bebê!".

Nesse sentido, o que fazer? Existem maneiras de enfrentar essa mensagem. Junto com o parceiro, pondere sobre como ela afeta a vida do casal. Tente agir de forma lúdica, como um jogo, acompanhando o que observa e dialogando com o companheiro:

- Identifique em propagandas, programas de televisão, filmes e mídias sociais mensagens culturais que priorizam o bebê.
- Preste atenção em quanto cada um de vocês é questionado sobre sua vida amorosa, em comparação com sua carreira profissional ou outros interesses.
- Observe os elementos que lhe despertam a sensação de plenitude: não apenas como indivíduo, mas também como uma equipe.

Conclusão

Quando você decide priorizar seu relacionamento, aceita a si mesmo e seu parceiro como são, não como gostaria que fossem. Uma ferramenta útil para o início dessa jornada de aceitação é o *continuum* do apego. Saber em que cor(es) está atualmente, sobretudo sob estresse, enquanto aprende, fomenta *insight* e compreensão, além de auxiliar na formação de uma equipe segura e funcional, o que lhes permite construir uma base sólida para se tornarem pais melhores. A parceria de equipe segura é uma prática que pode ser aprendida, mesmo que não tenha sido modelado para isso na infância. No próximo capítulo, vocês ampliarão seu trabalho como uma equipe de parceiros com o objetivo de se tornarem *experts* que sabem como cuidar de si mesmos e um do outro, fortalecendo ainda mais o seu grupo de dois para que esteja plenamente pronto para virar um grupo de três.

capítulo 2

EXPERTS UM NO OUTRO

Como vimos no Capítulo 1, compreendido o valor de atuar como um time de bolha de casal, cabe a você e a seu parceiro saberem a posição de cada um no *continuum* do apego. Mas eis uma pergunta difícil: o que você *efetivamente* fará com essas informações?

Por exemplo, conhecer meu jeito e o de Charlie nos ajudou a dissipar a tensão do momento em que saltei para um vermelho vivo, arremessando aquela bombinha de tirar leite no chão da cozinha. Conhecermos nosso estilo de apego – sob estresse fico propensa à sensação de abandono e Charlie tende ao distanciamento diante da percepção de que está me decepcionando – também nos estruturou para futuras discussões. Mas naquela noite, apesar da inegável utilidade da informação, ela não bastou. O apoio de que eu precisava – na verdade, ambos precisávamos – ultrapassava o uso de palavras. No nível micro de nosso sistema nervoso, nosso corpo precisava de calma, tranquilidade e reconforto.

Na verdade, se você leva a sério a construção de uma equipe segura, as vantagens decorrentes de conhecer seus respectivos estilos de apego são limitadas. É necessário que você e seu parceiro também sejam capazes de oferecer ajuda mútua em tempo real, momento a momento, quando emergem e dominam os medos e as inseguranças de suas cores. Mas aqui está a boa notícia: isso é possível. Vocês dois podem aprender a agir nesse sentido!

E, então, a outra ferramenta teórica que Stan usa como base para sua abordagem psicobiológica – a neurociência e, mais especificamente, a regulação do sistema nervoso – assume o papel de protagonista da cena. Se o *continuum* do apego é a bússola a que você recorre para descobrir onde está na floresta de sua parceria, a regulação do sistema nervoso constitui a ferramenta disponível para nutrir, regar e podar cada árvore. Enquanto seu estilo de apego primário permanece relativamente estável com o passar do tempo, mesmo variando em determinadas circunstâncias, seu sistema nervoso muda minuto a minuto, ou até milissegundo por milissegundo.

Aprendi com Stan a utilidade da regulação do sistema nervoso para casais, e na ocasião ele usou uma imagem gerada por computador de duas varetas lado a lado, cada uma composta de uma vasta rede de nervos. Sem ossos ou pele; apenas nervos. Sem dúvida foi uma imagem *nerd*, mas a questão primordial estava ali: nós, humanos, nos relacionamos por meio de nosso sistema nervoso, portanto, em essência, você e seu parceiro constituem a interação de dois sistemas nervosos. Apesar de talvez a imagem lhe soar engraçada, ela origina uma ferramenta que, segundo minha visão, você deverá achar proveitosa.

Neste capítulo, conforme passamos de um nível macro para um nível micro, analiso como você e seu parceiro são capazes do exercício do autocuidado e do cuidado mútuo por meio do conhecimento do sistema nervoso. Mostro como se tornarem *experts* um no outro, aptos a aprimorar e a ajudar a gerenciar – isto é, *corregular* – reciprocamente os sistemas nervosos no dia a dia, sobretudo em momentos de necessidade. Essa capacidade é crucial à funcionalidade segura do trabalho em equipe, com potencialidade para se tornar um poderoso divisor de águas no relacionamento.

PRINCÍPIO NORTEADOR 2: *você e seu parceiro cuidam de si mesmos e um do outro*

Talvez a coisa mais singular sobre o sistema nervoso – sobretudo quando você o considera vital para nossas interações – seja a tendência de lhe darmos pouca atenção. Você consegue avaliar seus sentimentos – felicidade, tristeza, irritação –, mas presta atenção à condição do seu sistema nervoso? Na verdade, a forma primária de vivenciar suas emoções ocorre pelo sistema nervoso. Por exemplo, quando você se sente feliz, seu sistema nervoso pode estar em um equilíbrio agradável de energia tranquila e empolgada. Quando se está irritado com seu parceiro, é provável que seu sistema nervoso fique intensamente ansioso. O mesmo acontece na excitação sexual e nos reencontros de casais depois de uma semana fora a negócios. O sistema nervoso também reagirá com pouca energia quando você estiver triste ou deprimido, ou quando estiver confortável na cama e prestes a dormir. Em síntese, apesar de vivenciar emoções por meio do próprio sistema nervoso, não há uma correspondência unívoca entre o que você sente e a condição do sistema nervoso, que emite informações a cada segundo de cada dia, as quais são tão valiosas quanto a capacidade de reconhecê-las e usá-las.

O sistema nervoso é mais complexo do que podemos – ou precisamos – discutir aqui. Para o propósito de aprender a trabalhar com seu parceiro, considere o funcionamento do sistema nervoso em um *continuum* linear, que flui entre a calma de um lado e a empolgação do outro. Como acontece com os estilos de apego, nenhum dos estados é "errado" ou "negativo". Existem momentos para a calma e outros para a animação, momentos com pouca energia e outros mais energéticos.

Em que ponto desse *continuum*, que lista alguns dos sinais comuns de cada lado, você se colocaria agora? E ontem? E na maioria das vezes?

Energia reduzida
Músculos relaxados
Frequência cardíaca mais lenta
Respiração mais lenta

Energia alta
Músculos tensos
Frequência cardíaca acelerada
Respiração acelerada

Sherlocar

Em *Wired for Dating*[4], Stan usa a palavra *sherlocar* como uma competência que se pode desenvolver em prol de avaliar um potencial parceiro, usando-a depois para construir uma parceria íntima e duradoura. Sherlocar – termo em homenagem ao trabalho especializado de Sherlock Holmes – baseia-se na "fala" do sistema nervoso, por meio da qual comunicamos de forma não verbal como estamos nos saindo em determinado momento. Essas "falas" são capazes de sugerir onde estamos no *continuum* do sistema nervoso naquele instante e se desejamos aumentar ou reduzir nosso nível de energia.

Estar ciente das "falas" do parceiro é um passo importante para se tornarem especialistas um no outro. Provavelmente, há tantos modos de "fala" quanto pessoas no mundo, porém os mais proveitosos para os parceiros trabalharem na relação envolvem rosto, olhos, boca, voz, postura, movimentos e gestos.

Recorra a este "dicionário de 'falas'" para norteá-lo conforme você observa seu parceiro – e a si mesmo:

Rosto:
- Expressão facial.
- Coloração da pele (pálida, ruborizada).
- Sorriso (autêntico ou forçado).

Olhos:
- Dilatação ou contração das pupilas.
- Pequenos movimentos musculares em torno dos olhos.
- Contato visual (evasão, olhares errantes, olhar fixo, participativo e amigável).

Boca:
- Cantos dos lábios curvados (para cima ou para baixo).
- Lábios relaxados ou contraídos.

---

4 Em tradução livre, *Conectados pelo namoro*. (N.T)

Voz:
- Volume (alto ou baixo).
- Tom (modulado ou uniforme).
- Riso (estridente, rouco, sincero).

Postura:
- Ereta ou contraída.

Movimentos e gestos:
- Inquietos e bruscos ou suaves e relaxados.
- Pés batendo.
- Os cabelos enrolados com os dedos.

Charlie e eu compilamos nosso próprio dicionário. Por exemplo, quando ele está chateado, mantém os olhos para baixo e evita contato visual; o rosto empalidece e perde um pouco a animação; a fala diminui e vem em voz baixa e suave. Eu quase sempre choro quando estou triste e minha expressão facial fica deprimida, com o lábio inferior mais saliente. Talvez sozinha não notasse tais características, mas as observações de Charlie soam verdadeiras para mim. Ele também diz que minha voz fica mais suave e infantil, e minha postura, mais contraída quando me sinto depressiva. Compartilharmos nossas observações nos torna mais cientes das "falas" de sistema nervoso.

EXPERTS UM NO OUTRO

Durante a próxima semana, preste muita atenção à comunicação não verbal de seu parceiro. Pense em sherlocar, isto é, bancar o detetive. Essa observação detalhada será mais divertida se o parceiro souber o que você está fazendo e concordar, e mais entusiasmante se o parceiro também bancar o detetive em relação a você.

Eis algumas dicas para garantir que a atividade ocorra sem percalços:

Embarque no processo com naturalidade. Comece focando em observações de momentos normais do cotidiano, não naqueles de estresse exacerbado. Afinal, como você não quer que seu parceiro se sinta colocado sob um microscópio indesejado, vá devagar. Conforme os dois forem ficando mais confortáveis, inclua momentos de estresse ou conflito.

Resista à interpretação. Este exercício pode rapidamente sair dos trilhos se você ou seu parceiro começarem a levantar suposições sobre o que estão observando. Por exemplo: "Você mordeu o lábio; isso deve significar que está agindo pelas minhas costas". Ou "Você está batendo o pé; acho que não quer ouvir o que estou dizendo." Em vez de se perder em interpretações, verifique os reais sentimentos do parceiro.

Aceite o que você observa. Nesta etapa, você e seu parceiro não estão tentando mudar ou gerenciar um ao outro. Discutiremos isso depois. Por ora, tenha foco apenas em ver e verificar um com o outro o que ambos observaram.

Compile um dicionário de "falas". À medida que você e seu parceiro comparam as anotações decorrentes do sherlocar, elaborem juntos uma base de conhecimento. Continuem a observar e a aprender um sobre o outro, até serem capazes de dizer: "Quando eu faço X, significa que provavelmente estou sentindo Y", ou "Quando você me vê fazendo X, provavelmente significa que preciso de Y." Dessa forma, acabarão virando *experts* um no outro.

O jogo da corregulação

Depois de passarem um tempo aprendendo as "falas" um do outro e fomentando os conhecimentos recíprocos, você e seu parceiro estarão preparados para a próxima etapa, ajudando-se ativamente. Aí deverão recorrer ao uso do conhecimento mútuo da comunicação não verbal e de onde se enquadram no *continuum* do sistema nervoso. A beleza da qualidade imprevisível do sistema nervoso nos convida a mudá-lo ou modulá-lo, isto é, regulá-lo. É possível aprender a regular o próprio sistema nervoso, e você e seu parceiro podem aprender a ajudar a corregular um ao outro, no que chamo de "jogo da corregulação". Jogá-lo implica dois vitoriosos ajudando-se mutuamente a chegarem a um ponto no *continuum* confortável para ambos.

Por exemplo, quando eu estava na zona vermelha porque Charlie não foi buscar minha bombinha de tirar leite, dominada pelo medo do abandono e com o sistema nervoso beirando o limite máximo da empolgação no *continuum*, eu estava agitada demais para qualquer ponderação. Como meu parceiro, cabia a Charlie reconhecer o que estava acontecendo, tranquilizar meu sistema nervoso e me ajudar na retomada da segurança. Na verdade, isso aconteceu. Depois que arremessei a bomba, fiquei tão constrangida pelo meu ato de explosão que corri para o quarto. Charlie me seguiu e me encontrou aos prantos em posição fetal.

Em silêncio, ele se deitou ao meu lado e me envolveu com os braços. Como havíamos sherlocado bastante e conversado sobre a regulação do sistema nervoso, ele estava ciente de que sua presença física me acalmaria. Então me abraçou com força e não me abandonou. Lentamente, mas sem dúvidas, eu me senti saindo do lugar emocional assustador onde acabara de estar. Tão logo me recuperei, consegui me desculpar pelo descontrole e resolvemos o problema da bomba de leite. Também conversamos sobre meu pavor, e Charlie lamentou não ter feito um trabalho melhor lendo minhas "falas" e impedindo-me de escorregar para o vermelho. Desde então, aprendemos a nos tranquilizar com mais rapidez, antes que alguém arremesse alguma coisa.

E é assim que funciona o jogo da corregulação.

O jogo da corregulação depende do trabalho em equipe. Sim, você pode e deve saber como regular o seu sistema nervoso, mas contar com o parceiro na equipe é um recurso a mais. Caso esteja se sentindo sobrecarregado ou deprimido, seu parceiro pode estar ciente de aspectos do funcionamento do sistema nervoso que você não percebeu, os quais talvez o ajudem a sair de uma rotina que, sozinho, seria um ato complicado.

Planejamento prévio de como você e seu parceiro usarão o jogo da corregulação. É importante que ambos aprendam, discutam e planejem com antecedência como usarão o jogo da corregulação. Tentar uma corregulação recíproca no calor do momento, sem terem deixado claro o que é bom para cada um, provavelmente será um tiro pela culatra. Use os exercícios deste capítulo para guiá-lo na exploração e no planejamento prévio.

As necessidades de regulamentação podem assumir diferentes formas. Nosso sistema nervoso nem sempre produz uma explosão gigantesca (como no meu caso); vez ou outra desencadeia uma versão mais silenciosa de raiva ou entusiasmo, por exemplo, assumindo a forma de afastamento, colapso ou vergonha. Na maioria das vezes, o jogo da corregulação envolverá um de vocês tranquilizando o outro em um estado de agitação. No entanto, talvez existam momentos em que um de vocês está com energia baixa e o outro pode ajudar a ativá-la.

Você é o aliado do seu parceiro em todos os momentos. Regular o sistema nervoso do parceiro nunca deve implicar oposição ou indiferença aos sentimentos dele. Encontre seu companheiro onde quer que ele esteja, sem críticas ou constatação de falhas. Você é o cuidador do seu parceiro até que ele consiga pensar com clareza de novo.

Solicitação de pausa. Seu parceiro pode pedir uma pausa quando se sentir instável ou inseguro; respeite *imediatamente* esse pedido.

TRANQUILIZE E SEJA TRANQUILIZADO

Esta atividade se baseia na anterior, em que vocês trabalharam para virarem *experts* um no outro. Agora você vai embarcar no jogo da corregulação para iniciar o gerenciamento recíproco dos sistemas nervosos nos momentos de estresse pessoal ou de ambos. Como eu disse, a forma mais comum de corregulação envolve o casal tranquilizar o parceiro, então por ora foque nisso.

Faça a primeira parte deste exercício de regulação sozinho. Para a segunda, una-se ao seu companheiro. De preferência, ele também pode fazer a primeira parte ("Tranquilizar-se") antes de ambos trabalharem juntos.

Tranquilizando-se. Na próxima vez que se sentir estressado, pare um minuto, recue e perceba onde você está no *continuum* e o que está acontecendo com seu sistema nervoso. Isso incluirá alguns dos mesmos tipos de indicadores de "fala" com os quais você já começou a trabalhar. Pergunte a si mesmo:

- Qual o ritmo da minha respiração?
- Qual é a minha frequência cardíaca?
- Estou suado?
- Estou instável?
- Minha pele mudou de tom?
- Estou angustiado ou chorando?
- Quero me enrolar como uma bola?
- Sinto vontade de praticar um ato agressivo?
- Sinto que estou desmoronando?

Faça uma lista do que observa em seu sistema nervoso, acrescentando qualquer coisa que notar.

Agora explore o que você pode fazer para tranquilizar o sistema nervoso, para se mover no *continuum*. Aqui estão algumas sugestões; sinta-se à vontade para incluir o que funcionar melhor para você:

- Passar um tempo sozinho.
- Receber um abraço.
- Comer chocolate.
- Praticar atividade física.
- Tomar um banho quente.
- Conversar com um amigo.
- Meditar.
- Ser massageado.
- Escutar música.

Coloque em prática os itens da sua lista e veja o que funciona melhor para você.

Ser tranquilizado pelo seu parceiro e tranquilizá-lo. Nesta etapa, você e seu parceiro iniciarão o jogo da corregulação. Depois de ambos terem completado sozinhos a primeira parte, comparem as notas e compartilhem suas respectivas observações quanto ao sistema nervoso. O fato de conhecerem muitas das "falas" um do outro deve ajudar bastante. O objetivo de compartilhar é dar a cada um de vocês permissão para intervir e regular o sistema nervoso do parceiro quando detectarem essas "falas" no futuro.

Agora pense em coisas que seu parceiro poderia fazer para tranquilizar você. É possível que algumas delas se assemelhem ao jeito de você acalmar a si próprio. Aqui estão algumas sugestões:

- Aproximar-se de você e tocá-lo.
- Ouvi-lo com empatia.
- Repetir o que você disse para que se sinta seguro e compreendido.
- Dar a você tempo para ficar sozinho e reagrupar-se.
- Garantir-lhe que tudo dará certo.
- Ajudá-lo na resolução de qualquer problema que o perturbe.
- Perguntar-lhe a coisa de que mais precisa naquele momento.

Finalmente, façam um acordo sobre como jogarão o jogo da corregulação, o que pode incluir o seguinte:

- Permita ao seu parceiro ajuda na regulação do seu sistema nervoso.
- Deixe bem claras as maneiras de tranquilizar (ou estimular) que você aceita.
- Especifique de que modo seu parceiro saberá que você quer interromper o jogo.
- Concorde em parar sempre que o parceiro pedir.

Cuidados com os dois como casal

Conheça a história de dois casais que poderiam se beneficiar da capacidade de regular o sistema nervoso um do outro durante momentos estressantes. Para cada um, você verá dois cenários. No primeiro, os parceiros deixam que as cores assumam o controle e desconhecem totalmente o

Experts um no outro

funcionamento do sistema nervoso. No segundo cenário, estão se transformando em *experts* um no outro, leem as respectivas "falas" e gerenciam o sistema nervoso. Durante a leitura dos casos, tente identificar o maior número possível de "falas" do sistema nervoso.

Alice e Brett

– Então... eu perdi nosso bebê – Alice diz, depois de falar com seu médico pelo telefone. Senta-se no sofá, o rosto pálido e o lábio inferior frêmito, e olha para Brett, que está ocupado respondendo a e-mails no celular. – Foi tão difícil engravidar. Acho que não consigo tentar de novo.

– Alice, não pense desse jeito. Seja forte. Vamos tentar de novo daqui a alguns meses. – Brett olha para a mulher por um momento, então volta para os e-mails. Por dentro, ele também está arrasado, mas não acha que saber disso ajudaria Alice.

Ela começa a chorar baixinho, fitando os pés. Parece que seu mundo inteiro está desmoronando. Ao erguer os olhos e vislumbrar Brett ainda no celular, ela se sente ainda mais triste.

Brett percebe que Alice está olhando para ele e a fita de relance. E diz a si mesmo: *"Agora não é hora de tristeza. Não quero pensar em todos os bebês que perdemos ainda na gravidez. Isso me perturba"*.

Alice o vê olhando para ela e pergunta:

– E se nunca tivermos nosso bebê?

São essas as palavras que Brett não quer ouvir.

– Pare com isso! – ele exclama. – Não comece. Vamos engravidar de novo. Teremos nosso bebê. – Sentindo-se mais angustiado, completa: – Vou correr um pouco. Volto em mais ou menos meia hora. – E sobe as escadas para pegar seus apetrechos, a mente acelerada enquanto coloca o tênis. *"Preciso cair fora daqui"*, ele pensa. Antes de sair, beija o rosto de Alice. – Amo você. Vamos encontrar um jeito. Nosso bebê virá.

Alice não diz nada. Continua sentada imóvel, invadida por um sentimento de abandono, a respiração superficial, o rosto marcado por lágrimas.

⟩⟩⟨⟨

Abortos são difíceis e dolorosos. Em vez de perceber que o sistema nervoso de Alice havia desabado para o extremo do *continuum* de baixa energia e que ela não era capaz de se reerguer sozinha, Brett focou no sistema nervoso dele e na própria necessidade de fuga, esquecendo que deveria cuidar da parceira e que, se o sistema nervoso dela não reagir positivamente, a parceria entre eles também será afetada. Vamos vê-los em uma nova tentativa.

O celular de Alice toca; ela vê que é o médico e grita para Brett:

– É do consultório!

Ele corre até a parceira, ambos se sentam no sofá, lado a lado, e segura a mão da mulher enquanto ela fala ao telefone. Brett mantém os olhos no rosto dela, observando os movimentos da cabeça, o rosto empalidecendo e os olhos marejados de lágrimas. Em um gesto de apoio, ele aperta a mão de Alice.

– Está certo, eu entendo – ela diz finalmente. – Obrigada, doutor.

Depois de desligar, Alice não precisa dizer nada, pois Brett já percebeu que é uma má notícia. Então ele a aconchega e a abraça, ciente de que ela espera esse comportamento do parceiro.

– Estou tão triste – ela afirma em meio às lágrimas.

– Eu sei, amor. Estou bem aqui com você.

Eles permanecem abraçados em silêncio. Brett ouve o choro de Alice, sente a respiração irregular da mulher. Então, acaricia suavemente as costas dela, acalmando-a. Ele também se sente ansioso e triste, mas agora está mais focado nas necessidades de Alice.

Ela sente a primeira grande onda de emoção ir se dissipando. A mão de Brett acariciando-a é reconfortante, e solta um suspiro ao se afastar do aconchego e olhar para ele. Observa as sobrancelhas de Brett contraídas, como acontece quando ele reprime os sentimentos, e diz:

– Sei que isso também é difícil para você.

Ele concorda.

– Você quer conversar? – ela pergunta.

Brett enxuga algumas lágrimas do rosto de Alice.

– Obrigado. Seria muito bom, mas acho que primeiro preciso caminhar um pouco.

– Quer companhia?

– Não, obrigado. Preciso ficar sozinho. Você ficará bem se esperar uns trinta minutos?

– Claro que sim. E se mudar de ideia, mande uma mensagem.

))((

Nesse cenário, desde o início Brett focou no desconforto de Alice. Ele observou as "falas" da mulher, cuidou do sistema nervoso dela, encontrando-a onde ela estava, sem deixar que suas próprias preocupações sobre a gravidez e a gestação o prejudicassem. Entendeu que a necessidade de Alice era prioritária naquele momento, e haveria tempo para os sentimentos dele também. O apoio de Brett permitiu que a dor de Alice se deslocasse por seu sistema nervoso. Ao regulá-lo, Brett ajudou a elevar a energia da mulher para que ela conseguisse apoiá-lo. Ambos precisavam profundamente um do outro, e serem *experts* fez toda a diferença.

Carlos e Steven

Carlos passa voando pela porta da frente.

– Stevie, trago ótimas notícias! Vou ser professor em tempo integral na faculdade. Está tudo ajeitado, amor! Planos de saúde, de previdência e salário! Não precisarei dar aulas extras durante todo o verão, e enfim vamos tirar férias!

Steven está na cozinha fazendo o almoço. Ryan, filho deles, dorme na cadeirinha de balanço perto da janela.

– Shh! – ele sibila. – Você vai acordar o bebê.

Carlos entra correndo na cozinha.

– Me beija! Nossos sonhos estão se tornando realidade!

– Hein? – Steven levanta os olhos do fogão, confuso. – Você ganhou uma viagem de volta ao mundo ou alguma coisa do tipo?

Carlos desacelera um pouco.

– O que você quer dizer com viagem de volta ao mundo? Não ouviu nada do que eu disse?

Steven franze a testa.

– Não, não ouvi nada mesmo. Estou tentando uma nova receita vegetariana de chili bem rápida.

– Humm, muito bom – diz Carlos em uma voz que soa meio fria e irritada. Seu lábio inferior se projeta um pouco e os olhos, antes iluminados, ofuscam. Com os ombros contraídos, por um instante ele observa Steven mexer o chili e sai silencioso da sala.

– Qual o problema? Não está com fome? – Steven pergunta, então acrescenta: – Por que você estava tão empolgado? Perdi alguma coisa?

Carlos nem mesmo ouve as perguntas, pois já saiu de casa e está sentado melancólico no carro.

)(((

Nesse cenário, Steven foi incapaz de aceitar o alto nível de empolgação de Carlos. A desatenção de Steven entristeceu o parceiro. Em vez de Carlos animar Steven, ambos acabaram sozinhos e isolados; se eles tivessem se inspirado em seus conhecimentos como *experts* um do outro, desfrutariam um momento de celebração mútua. Vamos vê-los em uma nova abordagem.

Carlos entra em casa praticamente dançando.

– Ei, amor! Onde estão? Mal posso esperar para compartilhar excelentes novidades!

Steven se inclina para fora da porta da cozinha e sussurra:

– Eu e Ryan estamos aqui. O bebê está dormindo, então entre em silêncio para a gente conversar enquanto preparo o almoço.

– Legal! – Carlos alcança Steven no fogão, coloca as mãos nos ombros do companheiro e o vira.

Steven vê o brilho de entusiasmo nos olhos de Carlos. É contagiante, e ele percebe que está começando a se sentir também empolgado.

– Então o que está acontecendo?

– Agora sou professor em tempo integral, querido!

– Que maravilha! Parabéns! – Steven beija e abraça Carlos. – Estou tão orgulhoso de você! – Ele sente seu próprio corpo vibrar de alegria enquanto olha para seu amor. Ambos conversam em sussurros, o que, no entanto, não silencia a intensidade da conexão.

– Obrigado! – Carlos agradece emocionado. – Estou tão feliz! Quando me falaram a novidade, literalmente pulei de alegria. Estava louco para voltar e lhe contar! Ver você olhar para mim neste momento é fantástico. Minhas bochechas estão doloridas de tantos sorrisos.
– Ahhh! Te amo. Você merece. E eles são sortudos por ter você.
– Obrigado, amor.

〉〉〈〈

Nesse cenário, ambos os homens criam para si mesmos e um para o outro a felicidade conjunta ideal na extremidade de empolgação do *continuum*. Carlos a transmitiu direto a Steven para que o companheiro visse suas "falas" e se unisse a ele em toda aquela felicidade. Steven interrompeu o que estava fazendo, identificou as "falas" de Carlos e foi capaz de vivenciar a alegria plena. Esses dois parceiros estão no caminho de virarem *experts* um no outro.

O que dificulta a aplicação deste princípio?

A mensagem da cultura popular dominante pode tornar desafiador cuidar de si e de seu parceiro, sobretudo quando você entra no turbilhão da gravidez e sua parceria corre o risco de parecer secundária no que tange à iminente atração: seu bebê. Se vocês já são pais, devem agora estar percebendo que o autocuidado, o cuidado do parceiro e o cuidado do relacionamento se tornaram secundários. E, mesmo sem perceberem, a parceria está comprometida. Para praticar o princípio norteador deste capítulo, terá de ir além da mensagem cultural emitida por amigos, família, mídia e sociedade em geral. A seguir, estão duas mensagens culturais com potencial de dificultar que você e seu parceiro cuidem de si mesmos e um do outro. Depois de conhecê-las, tente pensar em outras que o afetaram.

Pais ficam invisíveis durante a gravidez

"De quantas semanas você está?"; "É menino ou menina?"; "Sua família deve estar muito feliz"; "Você vai se mudar para um lugar melhor para criar o bebê, não é?"

Muitos futuros pais (e, em especial, mães) vivenciam o intenso e dominante foco cultural no bebê assim que descobrem que estão grávidos. Eu vivi essa fase repleta de regras e precauções definitivas focadas no caroneiro dentro de mim. Às vezes, eu me sentia deixada para trás enquanto estranhos davam conselhos não solicitados ou comentavam sobre meu corpo ("Sua barriga está alta; deve ser um menino", ou "Tem certeza de que não vai ter gêmeos?"). Todos se interessavam mais pelo crescimento da minha barriga do que por minha mente ou emoções.

Quando fazia perguntas de cunho psicológico ao meu gineco/obstetra sobre a intensa mudança emocional que estava ocorrendo, ele parecia confuso. Então procurei informações em algumas das publicações mais lidas sobre gravidez, como *O que esperar quando você está esperando*, de Heidi Murkoff. Não encontrei muita informação referente às mudanças em meu cenário interior. Diziam que isso não importava e que era melhor eu focar em como cuidar do bebê enquanto ele estava acampado na minha barriga.

O foco no bebê, e não nos pais, continua quando ele entra em cena. Assim que um bebê nasce, também nascem os pais, mas toda a nossa linguagem se centra nele. Por exemplo, os primeiros três meses de vida da criança são extraoficialmente chamados de "quarto trimestre", porque bebês ainda mudam rapidamente, assim como no útero. Passam a maior parte do tempo mamando e dormindo, sem muita consciência de que chegaram a este mundo. Mas também é o primeiro trimestre de parentalidade e, portanto, chamar esse período de quarto trimestre indica como nossa cultura ignora a experiência de os parceiros virarem pais, em toda a sua novidade alucinante e radical.

Como você refuta essa mensagem? Uma maneira é recorrer ao "*e nós também*". Você e seu parceiro se incluem nos comentários sobre bebês. Aqui está um exemplo: um amigo bem-intencionado pergunta se vocês prepararam o quartinho da criança.

Usando o "*e nós também*", você poderia dizer: "Ainda estamos escolhendo os móveis. É divertido preparar e deixar tudo pronto. *E* também passamos muito tempo curtindo nossa família de dois antes que ele chegue". Seu *e* também poderia ser: "Ambos estamos concluindo alguns projetos profissionais agora".

Outro *e* poderia ser um "eu também" em vez de um "nós também". Por exemplo, "*E* estou passando mais tempo com nossas plantinhas. Adoro escolher vegetais e pesquisar diferentes maneiras de prepará-los".

Boa parentalidade significa altruísmo

"Mamãe, cuide do seu corpo para que eu me desenvolva melhor." "Dê tudo de si para as crianças; elas são suas mais importantes conquistas." "O estado natural da maternidade é o altruísmo." "Um bom pai sempre sacrifica suas necessidades pelas nossas."

Tessa, minha amiga, contou-me que a ideia de se sacrificar pelo bebê começou cedo para ela. Sofria de depressão intermitente durante sua vida adulta, que controlou bem com antidepressivos. Quando Tessa descobriu que estava grávida, seu gineco/obstetra imediatamente sugeriu que ela iniciasse o desmame da medicação antidepressiva para que "fizesse o que é melhor" pelo bebê. Minha amiga, então, perguntou se ele poderia lhe indicar uma pesquisa sobre o efeito desses medicamentos nos fetos, mas ouviu como resposta outra pergunta: "Por que arriscar?". Naquele momento, Tessa sentiu que havia se tornado apenas um veículo de transporte de passageiros, não uma mulher com um longo histórico de depressão, necessitando de cuidados.

Fetos são vulneráveis e grávidas precisam alterar seu estilo de vida para cuidar melhor deles. Fato. No entanto, em razão de um ponto cego cultural, não existem ainda pesquisas suficientes sobre todos os riscos e desdobramentos do uso de medicamentos, álcool, cafeína, smartphones, tablets e atividades físicas sobre o feto e a mãe. A conclusão, com base na pesquisa hoje existente, afirma tão somente que mulheres grávidas devem se abster de qualquer risco potencial, sem levar em consideração o bem-estar delas. Ponto final. Decorre daí a expectativa de que o altruísmo incondicional e o sacrifício são pré-requisitos para o trabalho da parentalidade.

Como você refuta essa mensagem? Aqui estão algumas maneiras. Vocês dois entregam seu coração, tempo, paciência, recursos e muito mais ao bebê. Em vez de encararem isso como um sacrifício por ele, tentem honrar e reenquadrar a ação como um ato de generosidade. Tenham em mente que generosidade implica trabalho em equipe, não competição, portanto, não exige que você dê mais do que seu parceiro tem para dar ou vice-versa.

Caso achem produtivo visualizar uma escala de generosidade, lembrem-se de manter a balança equilibrada para que ninguém se sacrifique mais que o outro. Se um sente que reiteradamente é solicitado a dar mais do que tem a oferecer, é um problema de equipe que precisa de uma solução de equipe. Se seu parceiro desequilibrou a balança por ser generoso demais, compense a situação oferecendo a ele oportunidades de autocuidado.

Por exemplo, quando eu ficava quase que o tempo todo em casa cuidando do meu filho nos primeiros meses, comecei a sentir falta da minha vida social pré-Jude. Charlie me ajudou – o que, por sua vez, ajudou nosso relacionamento – sugerindo que eu agendasse encontros mais frequentes sem Jude com meus amigos. A palavra "frequentes" significava provavelmente cerca de duas vezes por mês, mas aqueles encontros de autocuidado levantaram meu astral e nutriram minha necessidade de uma conversa mais adulta. Fizeram de mim uma mãe e parceira melhor.

Conclusão

Cuidar de si mesmo e de seu parceiro envolve uma jornada constante de observar, sherlocar e cuidar dos respectivos sistemas nervosos. Aqui, construímos o *continuum* do apego discutido no Capítulo 1. Identificar e aceitar o ponto em que estão no *continuum* propicia uma base segura para a formação da equipe de parceiros. Neste capítulo, você ampliou essa base segura por meio da prática de conhecer onde cada um de vocês está no *continuum* do sistema nervoso, uma ferramenta que lhe permitirá regular o sistema nervoso do parceiro e, assim, virarem *experts* um no outro. No próximo capítulo, discutiremos a importância de fazer e manter acordos claros.

capítulo 3

REFORÇO DA EQUIPE

Nos últimos dois capítulos, exploramos muitas informações relacionadas às duas orientações teóricas subjacentes a este livro: teoria do apego e regulação do sistema nervoso. Ambas poderão ajudá-lo a mergulhar no âmago da questão de iniciar sua parceria de equipe, impulsionada pelo fundamental princípio norteador deste livro: o casal vem primeiro. Como eu disse na introdução, esse princípio atua como a máscara de oxigênio que você coloca primeiro em si antes de cuidar do bebê – todos os princípios subsequentes dependem desse ato inicial de segurança. Então surge a pergunta: a que estratégia recorrer agora para fomentar a probabilidade de priorizar o relacionamento, mesmo diante dos desafios e das dificuldades da vida?

Uma resposta imediata é a criação de compromissos sólidos.

Vamos começar pelos exemplos e análises de alguns cenários comuns cujos efeitos de compromissos *não* refletem a bolha segura do relacionamento. Consegue se identificar com alguns deles? Eu me identifico com todos.

Naquele #diaabençoado, vocês juraram "até que a morte nos separe", mas agora você se questiona sobre o real significado da frase. Está cansada de recolher o que o parceiro larga pela casa. Enquanto pega uma trilha de meias abandonadas, pergunta-se: *concordei em ser empregada doméstica quando disse "aceito"*? Sente-se frustrada e ressentida; o simples pensamento de toda a roupa e tarefas extras que virão com o bebê-bomba basta para que seu estômago revire. E lhe vem à cabeça: *é esse o significado de compromisso?*

Ou então se recorda de que vocês dois concordaram em manter os gastos mensais sob controle, mas, ao olhar o extrato bancário, irrita-se ao perceber um monte de cobranças que não reconhece e que colocam sua conta no vermelho. E se questiona se deve manter conta conjunta ou dar ao seu parceiro uma conta separada e com um limite definido. E aflora mais uma dúvida: *achei que pensávamos da mesma forma quanto a economizar para a compra da nossa casa. Por que sabotar esse sonho com tantos gastos desnecessários?*

Ou então, ainda que priorize seu relacionamento, acaba imaginando se seu parceiro recebeu o "memorando". Você aprendeu que o sistema nervoso "fala" e está lá nos momentos em que vocês dois precisam de tranquilidade e apoio. É ele o primeiro a saber dos eventos cotidianos, empolgantes ou decepcionantes. Mas você continua à espera de que seu parceiro se mexa e também priorize o relacionamento, então se pergunta: *por que isso não está funcionando se estou liderando tão bem pelo exemplo?*

Ou você e seu parceiro estão sobrecarregados pelo trabalho, sem quase disponibilidade para cozinhar, limpar a casa e cuidar das tarefas, e isso sem mencionar o tempo para o cuidado emocional extra de que ambos tanto precisam. Gostaria que seu parceiro diminuísse a dedicação à carreira profissional para que você se empenhasse mais na sua ou vice-versa. E pensa: *precisamos equilibrar a dedicação às nossas profissões para que nosso relacionamento não fique em banho-maria.* Quer conversar sobre o assunto, mas se cala. Até que em uma noite eclode uma séria discussão sobre o nível de comprometimento de ambos com a profissão, a qual termina sem que cheguem a um acordo. Os dois ficam chateados e estressados.

Cenários como esses são comuns quando os parceiros não têm acordos claros entre si. Ao dizer "acordo", refiro-me a uma decisão firmemente acertada a dois, com a qual ambos estão comprometidos. Você pode ter firmado um acordo inicial sobre um compromisso de longo prazo, mas talvez ainda não tenha clareza do significado disso no dia a dia para o seu grupo de dois. Como dividem as tarefas domésticas? Quem faz compras no supermercado? Em que dias um ou outro prepara o jantar? Quem troca as fraldas? Os acordos de médio prazo talvez também não estejam claros. Por exemplo: quais são seus objetivos como família? Qual será o destino das próximas férias? Quanto tempo esperar antes de tentar uma nova gravidez?

Tenho observado que os acordos da maioria dos casais não são tão discutidos ou bem compreendidos como poderiam ser, o que aumenta a chance de levar os parceiros ao fracasso. E quando entra um bebê no pacote, com todas as responsabilidades decorrentes, a necessidade de firmar acordos claros e ponderados torna-se ainda mais crítica.

O princípio que abordo neste capítulo guiará você e seu parceiro à firmar acordos que apoiem a decisão de priorizarem o casal. Inicio discutindo o acordo básico que ambos devem estabelecer como fortalecimento da equipe. Em seguida, veremos como podem honrar, respeitar e evoluir no dia a dia com base no acordo inicial.

PRINCÍPIO NORTEADOR 3: *você e seu parceiro fazem e respeitam acordos mútuos*

Quando você e seu parceiro decidem convidar um bebê para a sua festa de dois – e, para ser franca, mesmo antes de chegar a esse momento –, não podem confiar no romance ao estilo lua de mel como o estímulo para fomentar o relacionamento. Você precisa estimulá-lo mesmo quando estiver cansado, irritado, com fome, frustrado ou sobrecarregado. Afinal, concordou com isso, sabendo que vocês são mais fortes e felizes juntos quando têm segurança funcional como equipe.

No entanto, administrar tais situações pode ser complicado para casais. Considere os quatro cenários que descrevi. Observe o que deu errado em cada um:

- O parceiro que saiu recolhendo meias pela casa está sentindo a desconexão entre o acordo inicial de cuidarem um do outro e o que acontece nos detalhes de cada momento. O mesmo vale para o parceiro que sai espalhando as meias. Ambos os membros desta equipe precisam de algumas diretrizes que os ajudem a se sentirem respeitados, cuidados e seguros.
- No caso das finanças estouradas, os dois interpretam de modos diferentes o acordo, se é que o firmaram. O parceiro desapontado está solucionando problemas sozinho, e o parceiro perdulário

não está considerando as consequências dos gastos excessivos. Portanto, ambos precisam concretizar seu acordo financeiro, respeitá-lo e cumpri-lo.
- O parceiro que se esforça para priorizar o relacionamento age sem um acordo claro de equipe e sem comunicação sobre o que constitui um apoio bem-vindo. A outra metade, que não recebeu o memorando e não entende nenhuma "fala", é também responsável por esse contratempo de comunicação. Ambos os parceiros não percebem que os acordos se baseiam em responsabilidades mútuas compartilhadas.
- Os parceiros sobrecarregados não compreendem o valor da comunicação contínua sobre os acordos. Suas cores de apego são acentuadas e determinantes, impedindo-os de falar sobre as necessidades familiares. Mesmo que ambos, no íntimo, desejem uma mudança, nenhum deles é capaz de trazê-la à tona por meio de uma conversa potencialmente complicada.

Esses cenários destacam alguns dos principais elementos que no longo prazo podem garantir que os acordos corram mal: respeito, reciprocidade, clareza e comunicação direta. Os dois membros da equipe precisam saber mutuamente o que o parceiro espera deles. Essa clareza cria segurança.

Você pode dar o pontapé inicial na sua equipe de vitoriosos criando um acordo básico sólido para priorizar a parceria. Em *Wired for Love*, Stan fala sobre operacionalizar a bolha de casal por meio de um pacto – o alicerce, o marco zero – que priorize o relacionamento. É um acordo vivo ao qual você e seu parceiro devem voltar sempre. Ao mesmo tempo, é sempre possível reforçá-lo e fortalecê-lo, bem como estabelecer acordos adicionais diante dos acontecimentos no curso da vida diária. Se você quiser colher os benefícios da bolha de casal na equipe que está criando, torne prática diária respeitar os acordos mútuos.

Três ferramentas práticas podem ajudar você e seu parceiro a firmar acordos de sucesso: (1) o acordo fundacional do casal, (2) a prática diária de respeitar os acordos e (3) o retorno aos acordos em tempos de estresse. Vamos dar uma olhada em cada um deles.

O acordo fundacional do casal

Você e seu parceiro talvez criem um acordo formal pela primeira vez enquanto leem este livro. Ou podem acrescentá-lo aos votos que já fizeram ou àqueles que planejam fazer na próxima cerimônia de compromisso. Mesmo que o casal já tenha estabelecido um acordo formal antes, vai querer revisitá-lo agora como pais ou como futuros pais. Como pais, vocês não podem se dar o luxo de patinar em acordos implícitos ou inconscientes. Portanto, desejam que sejam claros, explícitos e redigidos.

Você e seu parceiro precisam saber com o que estão concordando e se comprometerem com o acordo para que ele funcione. Se existirem acordos não ditos e implícitos, nunca se saberá não só o que se esperar da sua banda de *rock and roll*, mas também como lidar com a responsabilidade quando um de vocês, inevitavelmente, pisar na bola. Um acordo obscuro encaminha ambos os parceiros para o fracasso. Mesmo sendo explícito e cuidadosamente pensado, se um parceiro entra de cabeça e o outro não, o primeiro pode acabar magoado, ressentido e subestimado.

O objetivo do acordo fundacional é norteá-los a priorizar o casal, criando a expectativa de que o relacionamento acontecerá com respeito, reciprocidade e comunicação clara e direta. A redação do acordo deve ser um item exclusivo do casal. Sinta-se à vontade para escolher qualquer um dos ingredientes a seguir para aprimorar a receita do seu próprio acordo:

- Concordamos em apoiar um ao outro.
- Concordamos em ser cúmplices.
- Concordamos em estar aos cuidados um do outro.
- Concordamos em compartilhar nossos mundos interiores.
- Concordamos em nos proteger mutuamente contra tormentas.
- Concordamos em ser amigos na escuridão e na luz.
- Concordamos em ser o sol um do outro, em torno do qual orbitamos.
- Concordamos em ser o fã número um do outro.
- Concordamos em nos dar liberdade total de sermos nós mesmos.
- Concordamos em nos proteger reciprocamente no público e no privado.

CONCORDÂNCIA MÚTUA EM PRIORIZAR O RELACIONAMENTO

O objetivo deste exercício é criar um acordo que expresse o alicerce da equipe do casal. Ambos devem ter clareza quanto ao que esperam do relacionamento e quais comportamentos são aceitáveis ou não.

1. Reserve algum tempo sem interrupções para o casal quando ambos estiverem descansados (ou tão descansados quanto possível se já são pais e estão sempre exaustos) e sem distrações. Vocês podem precisar de várias sessões sem interrupção para elaborar os acordos pós-bebê.
2. Discuta com seu parceiro o que significa, para cada um, priorizar o relacionamento. Como ponto de partida, use quaisquer elementos do meu exemplo de acordo, mas não se limite a eles.
3. Debata os prós e os contras de cada elemento para que ambos compreendam plenamente com o que estão concordando e por quê. Isso torna os dois responsáveis por sua parte do acordo.
4. Quando se sentirem prontos, declarem o acordo e por que concordam com ele. Coloquem por escrito. Pendurem na geladeira, na parede do quarto, ou em um lugar especial. Um dia vocês podem querer contar aos filhos o acordo e explicar-lhes que o praticam todos os dias.
5. O acordo de casal deve ser vivo. Pessoas e situações mudam, de modo que, se necessário, revise-o e atualize-o para que lhes sirva melhor. Converse regularmente com o parceiro sobre como estão vivenciando o acordo. Discutir como se sentem em relação a ele, inclusive destacando o fator segurança, torna-o vivo.

Acordos como prática diária

Quando Charlie e eu estávamos nos empenhando como casal depois da chegada do bebê-bomba, lembrei-me da recomendação de Stan sobre o pacto a dois e ocorreu-me que talvez nos ajudasse naquele momento. Então, sugeri a Charlie que nos déssemos novamente o dedo mindinho e jurássemos um pacto mútuo para que voltássemos aos trilhos como equipe. Ele topou na hora. Tínhamos firmado um acordo pré-Jude de priorizar nosso relacionamento e definir o significado disso para nós, como um casal. Mas, depois que nos tornamos pais e enfrentamos tantos novos desafios, precisávamos revisitar esse acordo fundacional, redefini--lo e então renovar nosso compromisso.

Nosso novo pacto nos deu a base segura de que precisávamos para prosperar como uma família de três. Mas, por mais sólida e confiável que fosse essa base, rapidamente descobrimos que não mais bastava um acordo "tamanho único". Enfrentamos uma fonte aparentemente interminável de oportunidades para fazer acordos – grandes e pequenos. E mais, para que esses acordos tivessem significado, precisávamos demonstrar a todo o tempo que fazíamos o possível para preservá-lo e respeitá-lo. Em pouco tempo, fazer e respeitar nossos acordos havia virado uma prática diária para nós.

A expressão "prática diária" não significa que tínhamos uma hora marcada para sentar e discutir nossos acordos. Longe disso! Refiro-me ao fato de desenvolvermos uma consciência de nossos acordos em todos os aspectos de nossas vidas, 24 horas por dia, 7 dias por semana. E assim chegávamos a novos acordos. Por exemplo, assumimos o compromisso de estar disponíveis um para o outro todos os dias, para percebermos nossos altos e baixos, para nos abraçarmos, sorrirmos, nos tocarmos, e para todas as noites compartilharmos um ritual na hora de dormir.

No entanto, é fácil ignorar esse tipo de prática regular. Vocês podem ser levados a acreditar que o acordo que firmaram há muitas luas irá fazê-los passar por bons e maus momentos. Em nosso agitado mundo moderno, é fácil esquecer que compromissos são coisas vivas que exigem participação ativa diária. Acrescente um bebê na história e fica ainda mais imperativa a prática do respeito diário pelos acordos de casal.

Quando você e seu parceiro se propõem a firmar e respeitar seus acordos como uma prática diária, não permitem mais que as dificuldades sejam varridas para baixo do tapete. Em vez disso, diante do mínimo sinal de problema, verificam individual e reciprocamente se o que quer que esteja acontecendo no momento se relaciona aos seus acordos mais relevantes. Façam três perguntas básicas:

- Nosso acordo inclui esta situação?
- Em caso afirmativo, estamos respeitando-o?
- Se não, precisamos de um novo acordo?

Esclarecidas essas questões, serão capazes de descobrir o que fazer para respeitar ou adequar um acordo existente ou para firmar um novo.

Aqui está como dois de nossos cenários de problemas anteriores seriam, se os parceiros (vou dar-lhes nomes) praticassem o respeito diário aos acordos.

Nona: (*colocando a irritação de lado, com base em sua crença de que eles podem resolver a situação*) Clay, essas suas meias...

Clay: Meias? (*percebendo o tom de "eu estou falando sério" de Nona, bem como o leve brilho nos olhos dela.*) Ah tá, certo, desculpe. Sei que combinamos que recolher as coisas é responsabilidade dos dois.

Nona: Fico feliz em saber que se lembra e que sente muito. Só que isso não está funcionando para mim. Não posso ser sua empregada. Acho que precisamos de um novo acordo.

Clay: Querida, de jeito nenhum quero que se sinta uma empregada. Não acho que precisamos de um novo acordo. Eu é que preciso respeitar o acordo que fizemos.

Nona: Você consegue respeitá-lo?

Clay: Consigo. E, se não o respeitar, serei o primeiro a assumir a responsabilidade de dizer que precisamos redefinir nossos acordos sobre as tarefas aqui em casa.

Nesse cenário, observe como os parceiros se comunicam em vez de se isolarem em seus *bunkers*. Nona é capaz de abordar o assunto sem explodir com Clay, pois já criaram regras básicas. Conforme vemos, como Clay está ciente do acordo, a primeira ação mais lógica é assumir que o respeita. Percebe-se que o processo do casal começou com alguns acordos mútuos e continua como prática diária, enquanto ambos se esforçam para fazer valer os compromissos assumidos.

Vejamos um segundo cenário: nossos parceiros com problemas financeiros.

Tim: Max, é um bom momento para conversarmos?

Max: Com certeza, já acabei de lavar os pratos.

Tim: *(conforme eles se acomodam no sofá)* Preciso dizer que fiquei muito chateado mais cedo, quando descobri mudanças em nossa conta bancária.

Max: Que bom que citou essa questão, mas soa meio estranho. Falei um tempo atrás que estava atualizando minha estação de trabalho. Disse também que tinha programado tudo para aquele fim de semana em que conversamos.

Tim: É, acho que me lembro disso. Mas não percebi que ia cair tudo neste mês.

Max: Eu não sabia que você havia esquecido.

Tim: *(rindo)* Acho que ambos fizemos algumas suposições.

Max: É mesmo. Posso cancelar nossa saidinha de fim de semana. Acho que ainda não é tarde demais para um reembolso.

Tim: Não, não, por favor, não. Estou ansioso para sairmos só nós dois. Na verdade, estava planejando programar uma saída em breve e fazer uma surpresa.

Max: Tudo bem. Parece que nós dois estávamos tentando surpreender um ao outro. Que legal. *(Inclina-se e beija Tim, depois para de repente.)* Mas acho importante a gente examinar a questão financeira para que façamos um acordo que funcione para nós dois.

Aqui, os parceiros percebem de modo rápido que lhes falta um acordo patente que cubra todos os assuntos relacionados às finanças. Podem ter falado sobre gastos, mas não ficou claro quanto dinheiro, quando será gasto e quem vai gastá-lo. O fato de terem embarcado em uma prática diária de respeitar os acordos permite que não demorem muito para identificar problemas e que tomem providências rápidas para consertar as coisas. Ambos estão envolvidos em um trabalho sempre em andamento!

Um inventário de acordos

Você notará que não estou falando aqui sobre uma complexa tomada de decisão em que você e seu parceiro precisam se envolver para chegar a acordos em uma forma contínua. Esse é o foco do princípio norteador no próximo capítulo. Por ora, vamos focar na prática diária de firmar e respeitar acordos. Nesse sentido, é útil manter um inventário dos aspectos do relacionamento que podem se beneficiar de acordos.

Primeiro, vamos compilar algumas categorias comuns para as quais você e seu parceiro talvez precisem firmar acordos para obter o máximo de solidez da equipe:

- Carreiras profissionais.
- Criação dos filhos.
- Gestão da casa.
- Finanças.
- Férias.
- Amigos e comunidade.
- Romance.

A prática diária implica manter a consciência dos acordos que firmaram nessas áreas, ou em outras que você identificar com seu parceiro. Por exemplo, caso se sintam pressionados pelo trabalho, podem considerar todos os acordos que firmaram relacionados à carreira profissional. Ou se estão com problemas com o uso do peniquinho do seu filho, revejam seus acordos relacionados à educação infantil.

A lista apresentada é intencionalmente ampla para lhe permitir criar um inventário próprio, adaptado ao seu relacionamento. Aqui estão itens mais específicos para você levar em conta enquanto ambos os parceiros elaboram sua lista. Encare-os como ingredientes para seus acordos mais abrangentes e como pontos de verificação para analisar se vocês estão respeitando os acordos:

- Quão disponíveis estamos um para o outro no decorrer do dia.
- Quem inicia as discussões e sobre quais assuntos.
- Quem assume a liderança em cuidar das roupas, lavar a louça e outras tarefas.
- Quais são as áreas de desacordo conhecidas.
- O que compartilhamos bem e o que não compartilhamos.

PRÁTICA DIÁRIA DE ACORDOS

Em algum momento depois que você e seu parceiro criaram seu acordo fundacional e já tiverem uma noção de como está funcionando para vocês, sentem-se mais uma vez e conversem sobre como trabalharão os acordos firmados daqui para a frente. Pensem nisso como o lançamento de uma prática diária, porque, ao contrário de seu acordo fundacional, os novos implicarão um processo contínuo de avaliação, esclarecimento e revisão. Claro, vocês vão desejar rever o acordo fundacional também, mas não esperem que isso aconteça diariamente.

Durante a conversa, considerem estas questões:

- Ambos concordamos com nossos acordos?
- Ambos sabemos o que é esperado de nós?
- Sabemos o que esperar um do outro?

- Que acordos novos ou revisados nós desejamos (ou iremos desejar) firmar?
- Como (e quando) queremos checar os nossos acordos?

Retomada do assunto

Temos falado sobre o uso de acordos com a função de sermos uma equipe coesa que sempre prioriza o casal. Mas o que acontece quando isso é inviável? Por exemplo, o casal está no meio de uma conversa sobre assuntos familiares, e um dos dois recebe uma ligação inesperada que precisa atender. Ou estão tão absolutamente envolvidos em uma discussão sobre optar pela FIV[5] ou pela adoção, que perderam a noção do tempo, e agora os amigos convidados para o jantar chegaram. Sem dúvida, vocês já enfrentaram momentos assim, e garanto que enfrentarão muitos outros mais quando se tornarem um grupo de três. Todos os parentais já vivenciaram uma interrupção vinda dos filhos. E todos sabemos que às vezes as necessidades do bebê *têm* de vir primeiro. Nesses momentos, você e seu parceiro precisam de um plano de contingência que lhes permita arquivar tudo o que está acontecendo para que cuidem do bebê.

O elemento fundamental é não permitir que a necessidade de arquivar conversas comprometa os acordos de casal. Talvez se sintam tentados a dizer: "Fracassamos", ou "Nosso acordo de priorizar nossa parceria funciona às vezes, mas nem sempre". Não. Seu acordo fundacional e todos os outros devem ser sólidos o bastante para incorporar momentos em que precisem priorizar outra coisa. O bebê. Ou o trabalho. Ou a vovó doente. Ou a necessidade de um parceiro de passar um tempo sozinho.

A retomada do assunto é a ferramenta que lhes permitirá fazer isso, ou seja, é uma habilidade que envolve cinco etapas. Observe que todas incluem um acordo que, como os outros que estamos discutindo, deve ser mútuo.

---

5 FIV – Fertilização *in vitro*.

1. Observe que sua conversa com seu parceiro deve terminar no instante de cuidar do bebê ou porque outra coisa exigiu a precedência.
2. Sinalize ao seu parceiro que o assunto deve ser encerrado.
3. Faça um acordo verbal rápido para retomá-lo quando puderem.
4. Reconheçam que a interrupção é temporária.
5. Retomem a conversa mais tarde.

Ambos são responsáveis pela retomada do assunto. A menos que haja uma questão urgente, volte à conversa no mesmo dia, ou no dia seguinte ou na próxima semana, não importa quando; o importante é que ambos concordem em fazê-lo e acertem o momento. Afinal, os parceiros nunca devem abandonar por completo nenhuma conversa, problema, necessidade ou desejo. A retomada com sucesso de uma pendência cria um sentimento de boa vontade e confiança entre vocês.

Para Sarah e Lucas, funciona da seguinte maneira: Sarah, grávida de sete meses, está preocupada que o apartamento onde moram logo seja pequeno demais. Ela expõe tal preocupação a Lucas durante um cafezinho.

— Se vamos cuidar um do outro, como combinamos, é importante termos espaço. Não é luxo.

— Entendo o que está dizendo — diz Lucas —, mas a ideia de nos mudarmos antes do nascimento de River me deixa nervoso.

— Será mais fácil agora do que tentar conciliar tudo quando formos pais — Sarah argumenta. — Conheço você, ficará meio maluco se perdermos nosso espaço de trabalho em casa, que é o que vai acontecer se ficarmos aqui.

Lucas olha para o celular e diz:

— Quero continuar conversando sobre isso, Sarah, mas vou chegar atrasado para uma reunião de equipe se não sair em cinco minutos.

Já estamos fazendo malabarismos com as coisas agora; imagine o que nos aguarda, Sarah pensa, mas entende que Lucas precisa sair.

— Tudo bem. Eu ia começar a procurar apartamentos hoje, mas vou esperar até termos a chance de conversar mais. Acha que podemos voltar ao assunto esta noite?

Lucas hesita, veste a jaqueta e diz:

— Mudar é uma decisão muito importante em termos de tempo e dinheiro. Preciso pensar.

– Pense, querido – afirma Sarah. – Se ainda não está pronto para discutir o assunto esta noite, sem problemas. É só me avisar, e continuaremos a conversa mais tarde.

Durante o dia, Sarah começa a se sentir ansiosa com a falta de clareza sobre a situação da mudança. Apesar de ter prometido adiar a busca por um novo apartamento, verifica os anúncios on-line, mas logo para. *Nós fizemos um acordo de cuidar um do outro como casal, e, se fizer isso agora, estou priorizando minhas próprias necessidades e indo contra nosso acordo.*

Naquela noite, quando Lucas e Sarah se sentam para jantar, ele traz à tona a possibilidade da mudança.

– Pensei no assunto durante meu intervalo desta tarde e acho que você está certa. Entendo que seria muito bom ter mais espaço quando River estiver aqui. Só não tenho certeza de ser o melhor momento.

– No final, acho que vai valer a pena – retruca Sarah –, mas você está certo, planejar uma mudança com sete meses de gestação é meio doido. – Ela estica o braço até o outro lado da mesa e segura a mão de Lucas. – Não percebi como é estressante o fato de nos tornarmos pais. Só quero que estejamos muito bem preparados.

– Também estou estressado, amor – diz Lucas –, mas confio que vamos resolver isso. Temos um ao outro. Somos uma equipe firme.

Sarah solta um suspiro e fala:

– Estou feliz que voltamos ao assunto esta noite. Seria muito ruim se *só* eu ficasse pensando nisso, perguntando-me se você estava mesmo disposto a conversar.

Lucas aperta a mão dela.

– Nunca duvide de que estou disposto a conversar sobre seus sentimentos. Enquanto conseguirmos continuar conversando, ficaremos bem.

Sarah assente com um movimento de cabeça.

– Sem problemas se não chegarmos a uma decisão esta noite. Talvez o ideal seja definirmos um prazo para nós mesmos. O que acha? Concorda em tomar uma decisão até o final desta semana?

– Por mim tudo bem! – Lucas sorri. – Se voltarmos ao assunto uma ou duas vezes, acho que saberemos o que vai ser melhor para nossa família.

⟩)⟨⟨

Nesse cenário, ambos se sentem felizes pela manutenção do acordo de cuidar um do outro enquanto planejam as necessidades da família, que navega rumo a um grupo de três. Na verdade, depois da chegada do bebê, a retomada de um assunto torna-se uma prática ainda mais importante para casais. Os tipos de interrupções que vocês vivem como um casal – sair para o trabalho, atender a um telefonema importante e outras coisas mais – são muito mais previsíveis do que as interrupções que ocorrem com um bebê. Afinal, vocês nunca sabem quando ele vai acordar ou exigir atenção, forçando-os a interromper uma conversa importante.

O que dificulta a aplicação deste princípio?

Talvez seja esta a primeira vez que você considera a importância de firmar acordos com seu parceiro. Tenho certeza de que os dois descobriram muitas coisas juntos, mas este princípio vai além disso. Gostaria de apresentar dois obstáculos para então estarem totalmente prontos para a aplicação perfeita deste princípio. Um se refere à ausência de um exemplo pessoal, o outro é de cunho cultural.

Nunca vimos casais firmando acordos

"Meus pais não firmaram acordos explícitos; por que eu deveria fazer isso?"; "Minha mãe era a chefona em nossa casa, então achei que deveria concordar com minha esposa."; "Casais fazem acordos? Parece que dá muito trabalho!".

É difícil imaginar, e mais ainda realizar, alguma coisa que nunca se viu antes. Falo por experiência própria. Enquanto crescia, não me lembro de meus pais fazendo e respeitando acordos explicitamente. Tenho certeza de que os tinham, mas não faziam parte da cultura de nossa família e não serviam de modelo para nós, filhos. Então, quando aprendi a questão dos pactos de casal com Stan, pensei: *conte-me mais!* Era como me imaginar Oz, capaz de ver tudo por trás da cortina. A ideia de conseguir elaborar e respeitar acordos me soava fascinante e estranha. Se é o seu caso também, não se preocupe! Você e seu parceiro podem ser os pioneiros da família. Veja como começar.

Reconheça a novidade do assunto e seja gentil consigo e com seu parceiro. A gentileza, além de ser quase sempre uma boa prática, é especialmente importante quando se vivenciam coisas novas e se desenvolvem juntos. Desenvolvimento e mudança têm potencial de gerar um sentimento de vulnerabilidade; e a melhor maneira de apoiar a si mesmo e ao seu parceiro é perceber e respeitar isso. Seja gentil ao criar o acordo fundacional do casal e mantenha a mesma delicadeza ao negociar outros acordos.

Parabenizem-se a cada novo acordo. Acredito de verdade no poder de comemorar vitórias, mesmo as pequenas. Você achará mais fácil firmar acordos em novas áreas se ficou satisfeito com o sucesso de seu acordo fundacional a dois. Pode ser uma celebração tão simples quanto baterem as mãos um no outro ou alguma coisa mais celebrativa.

Modele acordos para os filhos. Traga seus filhos com você para sua trilha pioneira! Como sugeri, compartilhe seu acordo inicial de casal com seu(s) filho(s) para que verifique(m) que vocês dois o praticam diariamente. O mesmo vale para outros acordos. Conforme suas crianças crescem, e quando os acordos de casal forem apropriados para a idade deles, compartilhe-os para que elas saibam que constituem uma parte crucial da parceria, preparando-as melhor para seus próprios relacionamentos futuros.

Papéis culturais de gênero ditam acordos

"Quase sempre, ele é muito bom em me ajudar com as crianças."; "Tenho sorte por ele trabalhar para que eu fique em casa com as crianças."; "Não sei onde está o protetor solar. Pergunte à sua mãe.".

Os papéis culturais de gênero, como exemplificado por essas citações, podem criar acordos predefinidos sobre quem é responsável por fazer o quê. Desse modo, em vez de firmar acordos conscientes, você segue o que julga socialmente esperado ou o que parece normal. Esse tipo de poder cultural é generalizado. Na minha experiência, maternidade e paternidade tendem a intensificar os papéis de gênero, com as mães predefinindo o parental primário. Tudo bem se você e seu parceiro preferem esse caminho, mas, se não for um acordo mútuo e consciente, é bem possível que encontrem problemas no futuro. Uma amiga minha era predefinida a parental noturna, porque cuidava das crianças. Um dia, percebendo a situação, decidiu mudar. Então, ela e seu parceiro criaram um novo acordo dividindo as responsabilidades pelos cuidados noturnos. E não parou aí. Agora, eles examinam de que maneiras a cultura influenciou seus papéis na parentalidade. Seguem alguns modos de refutar essas mensagens.

Fique atento aos acordos predefinidos baseados em normas culturais. Você e seu parceiro podem transformar isso em um jogo para perceber as maneiras pelas quais vocês estão inconscientemente sendo influenciados por expectativas culturais. Permitam-se recorrer à ironia quando se libertam dessas expectativas e fazem escolhas mais conscientes em prol da parceria. ("Deixe que tiro a mesa, querido; detesto que você se esforce depois de trabalhar o dia todo para trazer a comida para casa" ou "não acredito que a casa não está limpa; o que você fez o dia todo?") Nessa situação, um pouco de humor é melhor do que ressentimento.

Crie listas de responsabilidades para as tarefas domésticas e a educação dos filhos. Agora que vocês desenvolveram mais leveza quanto ao impacto da cultura na parceria, é hora de começarem a mudar essa situação. Juntos, compilem uma lista de todos os deveres compartilhados da família. Para mudar a cultura familiar, elaborem a lista juntos – não é um trabalho da mãe – e, em seguida, resolvam as pendências em conjunto. Deleguem cada responsabilidade não com base no gênero, mas no que funciona melhor na sua casa, inclusive levando em conta o interesse, a disponibilidade de tempo e o nível de qualificações. Depois que decidirem quem faz o quê, quando e com que frequência, firmem um acordo para consolidar a decisão. Ajustem-no conforme os interesses e a disponibilidade mudarem.

Conclusão

Uma maneira de garantir que você e seu parceiro atuem como uma equipe coesa é criar em conjunto um acordo vivo para priorizar o relacionamento. Isso pode incluir ser orientado, proteger-se mutuamente em público e no privado, valorizar perspectivas e necessidades um do outro, e ambos se tratarem com respeito e gentileza. O acordo de casal lhes fornece uma base segura, reforçada por meio da prática diária de estarem cientes do *status* dos acordos, respeitando-os e revisando-os sempre que necessário. Vocês precisam também de um plano de contingência para que não abandonem os acordos sempre que enfrentarem uma intervenção da vida, do trabalho, do bebê, ou de qualquer outra coisa que precise de prioridade. Em tais situações, a retomada do assunto lhes permite arquivar uma conversa para que tenham o assunto à mão e voltem a ele mais tarde.

No próximo capítulo, passaremos para o grupo de três, começando com a vida como um casal que espera um bebê. Também vamos desenvolver a discussão sobre acordos de casais, focando-nos em como você e seu parceiro podem tomar decisões juntos, incluindo as muitas que surgem enquanto esperam seu pequenino e aquelas que enfrentam quando ele já chegou.

parte II

DOIS VIRAM TRÊS

capítulo 4

À ESPERA DO BEBÊ E ALÉM

Tokiko e Naomi sentam-se em frente aos pais de Tokiko no restaurante e anunciam com entusiasmo:

– Estamos grávidas!

– Que maravilha! Parabéns! – a mãe de Tokiko diz, com os olhos lacrimejando.

– Fantástico! – exclama o pai dela.

Tokiko e Naomi se entreolham, aliviadas. Elas estão em uma jornada de fertilidade há anos, mas contar aos pais de Tokiko é um desafio gigantesco. Ela se lembra de que desde sempre seus pais queriam que se casasse com um "bom partido nipo-americano". Portanto, fora complicado contar-lhes que ela havia se apaixonado por uma encantadora mulher caucasiana americana. Mas seus pais passaram a amar Naomi e a respeitar as escolhas de Tokiko como lésbica.

– Estamos felizes com a felicidade de vocês – afirma Naomi.

– Finalmente seremos avós! – a mãe de Tokiko exclama, e depois se volta para a filha e continua: – Escolheu a melhor assistência médica?

Aliviada pelo fato de a mãe não recorrer às críticas costumeiras, Tokiko responde:

– Claro, mãe. – E então explica com descontração: – Depois de ciclos intermináveis de fertilização *in vitro*, já me cansei de ser espetada e cutucada. Estou pensando em arranjar uma parteira para um parto domiciliar.

Naomi parece atordoada, mas Tokiko não percebe nenhuma das "falas" da companheira.

– Sem ser espetada, você não estaria grávida – diz a mãe de Tokiko com um olhar de desaprovação, e em seguida fala para o marido: – Seu pai e eu não vamos deixar você correr nenhum risco irracional com nosso precioso bebê.

O pai de Tokiko concorda com um movimento de cabeça.

– Você consultou seu irmão? Ele é cirurgião, mas tenho certeza de que conhece os melhores obstetras da área de FIV.

Naomi se agita na cadeira; esperava ter esse tipo de conversa apenas com Tokiko. *Fazer um parto domiciliar é uma coisa nova para mim*, ela pensa. *Mal começamos a falar sobre partos*. Ela sente o rosto corar de irritação, mas permanece em silêncio, esperando que Tokiko confronte os pais.

E ela o faz.

– Mãe, pai, por favor, não se preocupem. Já está resolvido.

– Mas... – a mãe começa a dizer.

O pai coloca a mão no braço da esposa, sugerindo que deseja manter um clima de paz.

– Tokiko – diz ele –, assim que souber se é um menino ou uma menina, conte-nos, para comprarmos as roupas e os brinquedos adequados. E, claro, queremos estar com você no grande dia.

– Você será o primeiro a saber – retruca Tokiko, feliz por não discutir, mas esquecendo que ela e Naomi não haviam tomado decisão nenhuma sobre nada disso.

No entanto, Naomi não se esqueceu, e ouvir que os pais de Tokiko estarão no nascimento a faz sair de órbita.

– Não sei por que estou aqui! – ela explode. – Vocês três estão tomando todas as decisões sobre o nascimento do nosso filho sem minha participação. O que eu sou, a esposa simbólica? – E então ela empurra a cadeira e corre para o banheiro.

Tokiko fica sozinha com os pais. *Que bebezona, fugindo e me envergonhando assim*, ela pensa, o rosto ardendo de raiva. *Qual o problema de estar conversando com meus pais? Sou eu que estou grávida.*

〉〉〈〈

Nos capítulos anteriores, conversamos sobre a importância de ser uma equipe de parceiros e de priorizar o relacionamento, o que inclui fazer acordos enquanto casal. Mas uma coisa é fazer acordos e outra é colocá-los em prática em cada nova situação intensa que surge. Na verdade, ao decidir aumentar sua família para um grupo de três, talvez se veja entrando em um "vórtice de gravidez". De repente, tomar decisões o bombardeia com tal impacto que pode perder de vista seus acordos e até mesmo o significado de bolha de casal. O casal acaba se esquecendo de trabalhar em equipe e de consultar um ao outro.

O princípio norteador neste capítulo enfoca a fundamental habilidade na tomada de decisão. Em primeiro lugar, apresento um processo a que poderá recorrer para tomar decisões – enquanto espera um bebê e depois. Depois, na segunda parte do capítulo, abordo a questão da tomada de decisões centrada em vocês, parentais, de maneira mais ampla, incluindo trabalhar como uma equipe "interna" de dois enquanto consulta outras pessoas em relação aos conhecimentos e à especialidade delas.

PRINCÍPIO NORTEADOR 4: *você e seu parceiro tomam decisões como uma equipe*

A parentalidade é um dos primeiros projetos de alto risco que muitos casais assumem juntos. Talvez você e seu parceiro tenham colaborado na compra da casa ou no planejamento do casamento, mas isso nada significa se comparado a gestar e criar uma pessoa. Portanto, é natural vivenciarmos algumas dores de crescimento e inconstância de perspectivas enquanto procuramos maneiras de atuar juntos nesse esforço épico.

Todos os dias você enfrenta a necessidade de tomar decisões – algumas importantes, outras menos relevantes –, o que muitas vezes implica ou a execução de acordos já firmados ou a formação da estrutura para novos acordos. Pense em todas essas escolhas como uma fábrica de tecelagem da vida a dois. As decisões de hoje marcam sua vida amanhã, e se você seguir um processo colaborativo para tomá-las, construirá um profundo senso de confiança mútua, o que irá lhe facilitando o processo.

Retomemos o caso de Naomi e Tomiko para avaliar as adversidades decorrentes do fato de o casal não tomar decisões como uma equipe. Mesmo que tenham conversado rapidamente sobre a questão do parto, elas nunca chegaram nem perto de uma decisão. No restaurante, Tokiko, motivada pela alegria e tensão da gravidez, não consultou Naomi sobre qualquer uma das decisões que seus pais queriam impor. Para agravar a situação, Naomi não conhecia uma maneira eficaz de lembrar a Tokiko que ela era cocapitã da equipe. Vamos revisitar o cenário e ver como o jantar seria com ambas as mulheres atuando como jogadoras da equipe de tomada de decisão.

No caminho para o restaurante, Tokiko e Naomi conversam sobre maneiras de se apoiarem enquanto comunicam a novidade aos pais de Tokiko. Então decidem anunciar a gravidez de mãos dadas e monitorar o sistema nervoso uma da outra, sobretudo nos momentos mais tensos. Naomi lembra a Tokiko que elas ainda não decidiram como será o parto ou quem estará presente, e Tokiko concorda em não entrar nessas questões à noite. Ambas sabem muito bem o que desejam compartilhar e o que desejam manter para si mesmas.

Depois de anunciarem a novidade – de mãos dadas e dizendo em uníssono: "Estamos grávidas!" –, a mãe de Tokiko diz:

– Escolheu a melhor assistência médica?

– Adoramos sua preocupação, mãe. Naomi e eu ainda estamos nos organizando, mas logo decidiremos. Por favor, nos dê um pouco de tempo.

Naomi aperta a mão de Tokiko por baixo da mesa, sinalizando que está orgulhosa de Tokiko ter estabelecido um limite.

– Tudo bem – afirma a mãe de Tokiko, que então começa a fazer uma série de perguntas: – Em que semana você está? Sente-se bem? Come bem?

Tokiko se vira para Naomi, e as duas se conectam por meio do contato visual. Naomi entende que, de acordo com a conversa anterior, Tokiko quer que ela tenha um papel ativo na discussão. Então explica:

– Tokiko está grávida de catorze semanas e se sente ótima. Estamos ainda decidindo sobre o parto. Prometo que a manteremos informada.

O pai de Tokiko ergue um brinde.

– Para nosso bebê... saúde! Você sabe o sexo?

Tokiko responde:

– Não sabemos. Naomi e eu precisamos conversar mais sobre manter surpresa ou não.

Em razão de os pais de Tokiko parecerem meio tristonhos, Naomi intervém para tranquilizá-los:

– Acho que vocês dois serão avós fantásticos para um menino ou uma menina, então estaremos bem de qualquer maneira.

Tokiko sorri, grata pela ajuda de Naomi.

O pai de Tokiko, sentindo a felicidade de ambas, diz:

– Esta criança é muito sortuda por ter vocês duas como mães.

〉〉〈〈

Nesse novo *take*, Naomi e Tokiko formaram uma equipe antes do encontro no restaurante, o que resultou em espontaneidade e fluidez durante o jantar, mesmo nos momentos de mais tensão. Embora cientes de que ainda têm trabalho pela frente envolvendo questões importantes, continuaram no mesmo espírito de equipe. Comparado com o primeiro *take*, o compromisso que assumiram de respeito mútuo como cocapitãs do navio da família gerou uma diferença significativa em como se portaram uma com a outra e também em como se posicionaram diante dos pais de Tokiko. É possível que a força da equipe tenha influenciado os pais dela e os ajudado a respeitar as decisões de Naomi e Tokiko.

Cocapitães do barco da família

Depois de concordarem em se priorizar enquanto casal, ainda é preciso prática para lembrar que vocês dois formam uma equipe – não você e sua mãe ou você e este livro; você e seu parceiro! O passo seguinte se refere a um processo a que vocês devem recorrer como cocapitães do navio da família, para que naveguem nas decisões que tomam como uma equipe funcionalmente segura. É isso que Charlie e eu fazemos. Descobrimos que nossa união nas decisões de fato relevantes nos deu mais confiança e segurança, e tomamos decisões menos significativas e diárias quase sem esforço.

Se você está esperando um bebê, aplique este processo às suas decisões imediatas. Se já tem um filho, use este recurso para decisões relevantes agora. Ainda neste capítulo, discutiremos como esse processo de tomada de decisão se aplica às diferentes fases da parentalidade.

Este processo de tomada de decisão está dividido em oito etapas:

1. Avise ao parceiro que você gostaria que tomassem uma decisão juntos. Um dos dois pode ser naturalmente o que chamo de "iniciador da mudança" familiar, a quem cabem excelentes ideias e talvez a sugestão de começar um compromisso ou mesmo aumentar a tribo. No entanto, para a tomada de decisões em geral, ambos os parceiros precisam assumir a responsabilidade de alertar um ao outro.

2. Faça algumas reflexões e pesquisas individuais para chegar ao seu encontro bem informado. Ainda que comece pela coleta de aconselhamentos e informações de pessoas e fontes confiáveis, em última análise, cabe ao casal conversar e decidir o que é melhor para sua família.

3. Agendem um horário adequado a ambos para que os dois discutam a decisão pendente. Reúnam-se em um lugar com poucas distrações e estejam no aqui e agora do processo. Desliguem celulares!

4. Sentem-se um diante do outro, o que os ajudará a ficarem em tempo real e sintonizados com os sistemas nervosos mútuos durante o diálogo. Alguns casais gostam de andar e conversar. Se assim preferirem, parem com frequência, olhem-se e façam uma varredura visual para apreender quaisquer "falas" não verbais.

5. Articulem a decisão a ser tomada. Certifiquem-se de que estão na mesma página quanto à decisão que desejam tomar.

6. Compartilhem suas ideias. Revezem-se falando e ouvindo enquanto cada um compartilha seus pensamentos sobre qual seria a melhor decisão.

7. Futurizem sobre os possíveis resultados de cada decisão imaginada. Por "futurizar", refiro-me a imaginarem como seria a vida

no futuro se seguissem um determinado caminho. Considerem todas as implicações práticas e de longo prazo, todos os "e se". Futurizar ajuda a excluir óbvias escolhas erradas para a família.
8. Permaneçam empenhados até chegarem a uma decisão conjunta, o que às vezes exige vários encontros. Não se apressem! Se não tiverem uma oportunidade imediata de outra reunião, adiem a decisão até que possam conversar mais.

Quando eu estava grávida, Charlie e eu decidimos juntos a escolha do nome do nosso bebê, em um processo divertido e criativo que demandou pesquisa e muita futurização. Tivemos vários entraves para resolver o problema, o primeiro logo depois da consulta médica em que soubemos que teríamos um menino. Nesse caso, tivemos tempo de ir a um restaurante para um café da manhã fora de hora; não precisamos agendar nada.

Sentamo-nos um diante do outro e confessamos que já havíamos pensado em nomes. Eu tinha os meus favoritos e Charlie os dele, e eram bem discrepantes. Às vezes, sou meio mandona quando estou ansiosa. Portanto, ciente de que eu corria o risco de resvalar para um comportamento diferente de equipe, Charlie estendeu o braço sobre a mesa para segurar minha mão e disse: "Não se preocupe. Acharemos o nome perfeito para nosso filho. Vamos abrir um Google Docs".

Eu ri. Nunca havia imaginado que um Docs pudesse se transformar em alguma coisa tão romântica!

Durante nosso encontro seguinte, munidos de um Docs chamado "o menino", decidimos que ambos poderíamos usar nosso poder de veto. Isso permitiu algumas edições rápidas (desculpem, Wren, Dion e Elliot). Insisti muito em Lucas, mas Charlie, mesmo não sentindo que seria o nome ideal, deixou-me mantê-lo em nosso Docs por um tempo e encarou, bem-humorado, todos os meus argumentos relativos a Lucas-é-um--nome-incrível. No entanto, no final, ele recorreu a seu poder de veto. Usamos a futurização para imaginar como nosso filho se sentiria com um ou outro nome. Como estávamos dando ao bebê o sobrenome do meu marido, queríamos ter certeza de que representaríamos também a família materna, o que exigiu alguns ajustes. Bem no final da gestação, escolhemos Jude Nelson, com Nelson vindo do meu lado da família.

À espera do bebê e além

Também enfrentamos outra decisão: manter o nome do bebê em segredo. Eu queria compartilhá-lo, e Charlie queria privacidade. Sou uma excelente compartilhadora, e ele um excelente guardião, então isso não foi nenhuma surpresa. Porém, o ato de futurizar trouxe clareza para nós dois quando Charlie disse: "E se contarmos para sua mãe e ela não se entusiasmar? E se incorporarmos a dúvida de pessoas cujas opiniões valorizamos e, então, questionarmos nossa escolha?". Portanto, decidimos colocar o nome de Jude em um cofre até que ele chegasse aqui.

Sinto-me feliz por termos passado o tempo discutindo essas coisas e aprendendo um com o outro. O momento de apresentar Jude à minha mãe não teria sido tão perfeito se Charlie e eu não tivéssemos nos envolvido no processo de tomada de decisão juntos.

Bolha de casal nas decisões

Como cocapitães, você e seu parceiro terão mais êxito no processo de tomada de decisão se agirem de acordo com uma postura de bolha de casal. Isso implica qualidades de franqueza, transparência, reciprocidade, colaboração igualitária e respeito.

Inicie o processo por meio da concordância em ser sincero sobre suas preferências, opiniões e conhecimentos ou ausência deles. Quando tudo está colocado na mesa, nenhum de vocês precisa adivinhar o que o outro quer, ou não quer, ou lhe é indiferente. Por exemplo, eu disse a Charlie que era importante para mim criar um feminista e que meu lado da família deveria estar representado no nome do nosso filho. Claro, ser sincero e transparente não significa que um parceiro concordará com o que o outro quiser; significa apenas que ambos não serão atingidos por grandes surpresas no futuro.

Vocês também se comprometem a serem igualmente informados sobre cada decisão. Cada um de vocês é responsável pelo pensamento crítico, realização das pesquisas necessárias e compilação de conselhos e ideias de amigos e familiares. Talvez isso soe como muito trabalho, e é! Mas a recompensa – que ambos vão desfrutar – é a criação de uma equipe de bolha de casal. Quando todo o processo é bem-sucedido, a tomada de decisões como uma equipe fomenta o aprofundamento da confiança. Quando realizado com falhas ou não realizado, os parceiros correm o risco de acumular ressentimentos e uma atitude do tipo faça-isso-sozinho.

Você pode até discordar das ideias do seu parceiro, mas precisa respeitá-las. Quando Charlie e eu nos sentamos para conversar sobre tornar público ou não o nome do nosso bebê, cada um ouviu o outro com respeito, sem dizer nada que sugerisse que as opiniões emitidas eram erradas ou tolas. Nosso respeito mútuo nos permitiu ponderar sobre todos os nossos sentimentos, prioridades e necessidades. E respeito gera maior transparência. Muitos parceiros pararam de compartilhar seus pontos de vista porque os sentiam minimizados, desconsiderados, constrangidos ou criticados. Uma equipe que preza a bolha de casal é construída por meio do respeito e das tentativas de entender as perspectivas mútuas.

Decisões em equipe enquanto esperam o bebê

Aumentar a família implica uma miríade de tomadas de decisões, pois você encontrará informações vindas de muitas fontes: médicos, parteiras, doulas, pais e sogros, irmãs, irmãos, amigos que são pais, estranhos e até mesmo livros. É natural estar envolvido em vulnerabilidade e insegurança nesse momento, o que o leva a se esquecer de sua equipe parceira. Talvez você esteja lendo essas palavras agora e pensando: *ai, não me lembrei de perguntar ao meu parceiro antes de decidir treinar o uso do penico da nossa filha.* Ou: *preciso tomar sozinha todas essas decisões relacionadas à gravidez, porque meu parceiro não está disponível.* Como já discutimos, poderosas mensagens culturais podem desencorajar os casais a agirem em equipe. Tomar decisões não constitui uma exceção. Portanto, não se abata se você precisa aprender a fazer isso nessa arena.

Vamos começar verificando algumas das decisões enfrentadas pelos pais que esperam um bebê ou que querem um. A decisão de Tokiko e Naomi foi sobre a questão do nascimento, e compartilhei meu exemplo com Charlie na escolha do nome. Claro, sua primeira decisão foi ter um filho – o que vocês podem ou não ter decidido intencionalmente ou juntos. Aqui está uma amostra de outras decisões importantes:

- Quando começar a tentar engravidar.
- Pensar em adoção.
- Considerar a ideia relativa à barriga de aluguel.
- Contar ou não à família que você está usando espermatozoides ou óvulos de doadores.
- Irem ambos os parceiros juntos ao médico e à parteira.
- Revelar o sexo do bebê.
- Amamentar ou usar fórmula.
- Planejar a questão do sono.
- Combinar a questão da licença-maternidade e da licença-paternidade.
- Considerar recorrer a creches e berçários.
- Recorrer ao controle de natalidade.

Acrescente itens à lista conforme você trabalha neste livro. E sinta-se à vontade para fazer anotações em seu diário.

Algumas dessas decisões (por exemplo, aleitamento, creche, opções de controle de natalidade) são obviamente tomadas depois do parto. Você não saberá, por exemplo, se será capaz de amamentar até tentar. Entretanto, começar a discutir essas decisões, pesquisar e colocar os pensamentos e sentimentos às claras antes da chegada do bebê lhes dará uma posição vantajosa. E vocês dois terão de praticar a flexibilidade porque, na vida fluida de pais grávidos, as decisões quase nunca são complicadas e rápidas. É quase certo que vocês nem escolham um tipo de parto que não demande adaptação. Há muitas variáveis. Portanto, eu os encorajo a falar sobre seus planos alternativos. Dessa forma, terão alguns planos B a que poderão recorrer diante de uma situação inesperada.

Tomada de decisões da equipe como pais

Quando seu bebê-bomba explode, sua família passa de dois para três (ou mais) e você tem um zilhão de novas decisões a tomar, talvez seja difícil seguir o primeiro princípio norteador: o casal vem primeiro. Gosto de olhar para a tomada de decisões parentais sob a perspectiva dos privilegiados (os que estão dentro da situação) e dos intrusos (aqueles que estão fora). Vocês dois são os privilegiados em toda a sua glória como cocapitães do navio da família. Todos os outros são intrusos. Inclusive seu filho.

Priorizar o casal equivale à criação de um campo de força mágico e invisível ao redor de vocês dois, o que lhe propicia segurança, força e uma sensação contínua de proteção amorosa. Desse lugar seguro e protegido, vocês podem incorporar outras pessoas (os intrusos) do modo que escolherem. E, no entanto, o casal sempre retorna ao seu círculo privilegiado, a vida a dois.

Vimos o papel de intrusos com Tokiko e Naomi. O erro de Tokiko foi levar seus pais (intrusos) a decisões que ela e Naomi (privilegiadas) precisavam discutir sozinhas. Isso exemplifica a importância de os privilegiados, que estão dentro da situação, garantirem que os intrusos, os que estão fora, não se apossem do processo de tomada de decisão. Não quero dizer que a tomada de decisões como uma equipe parental signifique manter os intrusos distantes. Na verdade, eles desempenham papéis importantes. O elemento fundamental implica a manutenção de seu *status* de privilegiado, ao mesmo tempo que permite o apoio de intrusos. Com a segurança da parceria colocada em primeiro plano, você pode relaxar, sabendo que nenhum dos dois será pego de surpresa por uma decisão que um intruso foi autorizado a tomar. Isso cultiva confiança, tranquilidade e criatividade em sua parentalidade e parceria. Vejamos como pode funcionar.

Status *de privilegiado*

Quando Jude tinha cerca de seis meses, eu amamentava em livre demanda todas as noites e sentia-me tão exausta que minha saúde mental e física ficou comprometida. Nem sequer conseguia perceber que precisávamos de uma solução. Além disso, eu tinha uma sólida voz intrusa em minha cabeça: nosso pediatra havia sugerido que Jude fosse amamentado até um ano de idade. Mesmo sabendo que o dr. Woods era um intruso, hipervalorizei sua palavra. Eu temia que, se parasse de amamentar em livre demanda, meu suprimento de leite diminuísse e eu não amamentasse mais por muito tempo.

Charlie assumiu a liderança em afirmar nosso *status* de privilegiados ao iniciar uma conversa. Quando eu estava descendo depois de colocar

Jude para uma soneca, ele gritou:

– Ei, amor, gostaria de falar com você.

Caminhei até o sofá e disse:

– Fala sério?

– Estou preocupado com a sua saúde. Jude acorda a cada noventa minutos à noite. E você também. Quero encontrar uma solução para que você durma mais.

Senti a tensão em meu corpo.

– Estou fazendo o melhor que posso, em se considerando as circunstâncias.

Charlie, percebendo-me em uma posição defensiva, logo deixou claro que continuávamos no mesmo time e ele estava cuidando de mim, não me atacando.

– Você está fazendo tudo de modo excelente. É a melhor mãe para Jude, e Jude e eu somos sortudos por ter você.

Com essas palavras, comecei a chorar, o que facilitou a exposição sincera do meu dilema.

– Eu quero mesmo dormir mais. Algumas noites, ao dirigir para casa do trabalho, fico com medo de apagar no volante. Mas estou preocupada porque, se Jude não mamar tanto à noite, meu suprimento de leite não vai aguentar até que ele tenha um ano.

– Amor, por que você acha que precisa amamentá-lo até que ele tenha um ano?

– Porque foi isso que o dr. Woods falou. Tenho medo de que, se não amamentar Jude, não serei uma boa mãe.

Charlie não disse nada; apenas colocou os braços ao redor de mim enquanto eu soluçava. Chorei muito antes de conversarmos mais, até finalmente conseguir dizer:

– Obrigada. Precisava mesmo chorar. Percebo que estou dando *status* de privilegiado ao dr. Woods. E também aos meus medos.

Charlie me garantiu que éramos os únicos privilegiados. Ele disse que entendia a pressão que recai nas mães de primeira viagem e prometeu que descobriríamos isso juntos. Então, começamos a elaborar um plano que afirmasse nosso *status* de privilegiados e reunisse as características apropriadas ao *status* de intruso. Depois de mais algumas conversas, chegamos a uma decisão relativa ao sono que funcionou para nossa família: levar Jude para seu próprio quarto para que ele acordasse menos. Trabalhar de maneira colaborativa e igualitária nos ajudou a navegar na transição com bases mais firmes, o que, por sua vez, também ajudou Jude. Nunca saberei com certeza, mas acredito que nosso bebê sentiu o apoio mútuo dos pais também para dormir no próprio quarto, e isso tornou as primeiras duas noites menos desafiadoras para ele.

Apoio dos intrusos

Como pais, com frequência vocês se depararão com decisões que exigem uma experiência que o casal não tem. Vocês dois desejam tomar a decisão final como uma equipe, mas, para obter as informações necessárias, ainda precisam do apoio de especialistas, médicos, outros pais, amigos, família, postagens de blog e assim por diante. O exercício parental é uma novidade, e seu filho está sempre mudando e crescendo, o que mantém a curva de aprendizado íngreme. Não é preciso reinventar a roda, mas é necessário decidir juntos em que roda estão rolando.

Suponha que você não tenha certeza de quando desmamar seu filho. Então, consulta um intruso lógico: o pediatra. Como seu parceiro está trabalhando, você vai sozinha com a criança à consulta. O pediatra sugere que chegou a hora do desmame. Você ouve, invoca seu campo de força interno e diz: "Ótimo, obrigada. Vou discutir isso com meu parceiro".

Já em casa, você não diz: "O pediatra falou isso, e estamos desmamando agora". Apenas retransmite o conselho do pediatra e pergunta a opinião do parceiro. Então decidem juntos.

Ou então um amigo lhe pergunta: "Em que escolinha vai matricular sua filha?".

Vocês ainda não decidiram, então você diz: "Não temos certeza. Qual você escolheu?".

Quando chegar à sua casa, conta a seu parceiro a escolinha que seu amigo escolheu e vocês dois incorporam essa informação à decisão em que já estão trabalhando.

O bebê é um intruso

Pratique ainda mais seu *status* de privilegiado uma vez que o bebê está aqui, porque ele é um intruso. Eu sei que parece duro, mas, estimulando o autocuidado como uma equipe, seu campo de força interno protege o bebê. Quando a equipe é sólida, consegue cuidar e proteger melhor seu filho.

Por exemplo, quando a criança cresce e começa a atormentar um de vocês pedindo, digamos, sorvete em vez de frutas, e um dos dois nega, então ela corre e pergunta ao outro. Se vocês formam um time fraco, sua criança talvez consiga arrancar o sorvete do parceiro. Então, além de você ficar brava com seu filho, o casal também se irrita um com o outro. Na próxima vez que seu filho pedir sorvete, será mais difícil para ambos dizerem um sonoro "não".

Dessa forma, se você e seu parceiro formam uma equipe segura, ele imediatamente irá se referir ao que você acabou de dizer e o caso será encerrado: sem sorvete. Para ser sincera, seu filho pode querer o doce, mas prefere que os parentais decidam em conjunto.

Vez ou outra, você pode mudar uma decisão com base na inserção de seu filho como um intruso. Considere a questão do sorvete e das frutas. Seu filho o pede, você diz não e sugere frutas. Como a resposta não agrada a ele, vai até seu parceiro com o mesmo pedido.

O parceiro pensa: *ele não tomou sorvete a semana toda. Não vejo problema em que tome um agora.* Ele não se manifesta em voz alta, mas diz: "Vou dar uma verificada nisso".

Vocês dois discutem a questão em sua caverna privilegiada, sem a participação do filho. Ouvindo e falando, decidem juntos se a criança tomará o sorvete ou não.

O USO DO *STATUS* PRIVILEGIADO

A seguir, apresento uma lista de algumas decisões importantes sobre a criação de filhos que deve ser ponderada pelo casal. Sinta-se à vontade para acrescentar outros itens ou torná-los mais específicos:

- Horário de sono.
- Nutrição.
- Educação escolar.
- Atividades.
- Tempo de tela.
- Assistência médica.
- Disciplina.

Se você estiver esperando um bebê (ou que ainda vai esperar), analise essa lista com seu parceiro e discuta quem serão os intrusos para cada decisão. É importante considerar quais pessoas de fora vocês desejam incluir e a forma como farão para se envolver com cada uma delas. Se vocês já são pais, é válido listar os intrusos atuais ou passados ou elaborar um plano para encontrar alguns.

Conversem sobre quaisquer preocupações envolvendo intrusos que talvez dificultem sua vida de privilegiado. Pensem se serão ou não influenciados por especialistas ou por seus próprios pais quanto a determinadas decisões parentais. Quanto mais informações conseguir coletar sobre como você e seu parceiro navegarão sob a influência de intrusos, melhor. Saibam que são eles os maiores influenciadores e continuem a aumentar sua aldeia de intrusos.

O que dificulta a aplicação deste princípio?

Talvez seja complicado colocar em prática o princípio norteador de que você e seu parceiro tomem decisões como uma equipe. Como já discutimos, a cultura atual pode dificultar o processo, pois algumas mensagens vigorosas entram em conflito com vocês dois tomando decisões como uma equipe. Além disso, se você já tem filho(s) e tem um histórico de casal de tomar decisões individuais, é possível que não saiba como mudar de marcha. Aqui, examinaremos três áreas de dificuldade e algumas sugestões sobre como combatê-las.

Mães no comando

"Que tipo de carrinho você decidiu comprar?"; "Quanto tempo planeja ficar em casa com o bebê?"; "Você está fazendo comida de bebê do zero?"; "Se agora está aqui, quem ficou com o bebê?"; "Você é uma sortuda por ter um pai tão participativo!".

O problema aqui não são as perguntas em si ou o fato de a mãe (a menos que você seja um casal homossexual) estar sendo elogiada. A questão principal é que esse tipo de pergunta é dirigido às mães, não aos pais. Para ser uma excelente mãe em nossa cultura, você deve fazer tudo sem esforço e perfeitamente porque nasceu para a maternidade; é o verdadeiro trabalho da sua vida, o que inclui tomar as decisões certas na hora certa para o bebê. No entanto, para ser um excelente pai, você simplesmente precisa chegar e trocar uma fralda de vez em quando ou levar seu filho ao parque.

Essa mensagem cultural é nociva a todos os gêneros e reflete-se ainda mais no processo de tomada de decisão. Se você, como mãe, sente que lhe cabe tomar todas as decisões de parentalidade, terá apenas metade dos recursos de que precisa para pesquisar e escolher a melhor solução. Quando ler sobre o processo de tomada de decisão da equipe que apresentei aqui, uma vozinha vibrará em sua mente: *mas é realmente minha responsabilidade*. Talvez ache que tomar decisões em equipe representará uma imposição para seu parceiro, ou que os intrusos vão desvalorizá-la se reservar um tempo extra para tomar decisões em equipe.

Esse tipo de mensagem será mais problemática se você aderir a ela inconscientemente. Talvez pense: *é claro, queremos funcionar como uma equipe!* Ao mesmo tempo, parte de sua psique pode provocar um sentimento de culpa por ir contra essa mensagem. O mesmo vale para seu parceiro, que também pode incorporá-la, consciente ou inconscientemente.

Os casais homoafetivos tendem a se posicionar de modo diferente diante dessa mensagem cultural específica. Tenho notado que muitos parceiros do mesmo sexo preferem se envolver em uma conversa contínua sobre papéis e responsabilidades a aderir a suposições culturalmente orientadas sobre gênero. Se você vive uma parceria desse tipo, talvez descubra que essa independência lhe permite praticar o princípio norteador deste capítulo com maior facilidade.

Como você refuta essa mensagem? Se está com problemas diante desses tipos de mensagens (tanto em parceria homossexual quanto em heterossexual), existem maneiras de refutá-las. Junto com seu parceiro, estabeleça o objetivo de se tornar ciente da mensagem cultural sobre mães e pais. Durante a próxima semana, desacelere e observe as diferentes perspectivas para cada gênero. Preste atenção em propagandas, programas de televisão, conversas no trabalho, postagens em mídias sociais e matérias jornalísticas.

- Qual gênero é abordado com mais frequência quando se trata de parentalidade?
- Quais são as perspectivas para o seu gênero? E para o gênero do seu parceiro (se for diferente)?
- Observe como você se sente sobre suas descobertas.

Incremente sua conscientização individualmente e depois compartilhe suas descobertas com o parceiro. Converse sobre o que cada um de vocês percebeu e sobre o impacto da mensagem no processo de tomada de decisão.

A discordância de uma decisão

Mesmo depois de tentar o processo aqui apresentado para a tomada de decisões como uma equipe, você e seu parceiro talvez ainda estejam em lados diferentes da cerca. Você pode discordar em relação ao ritual para dormir ou sobre engravidar novamente. A situação será mais difícil se uma decisão já foi tomada antes de iniciar esse processo. Por exemplo, a concepção do bebê pode ter ocorrido sem acordo mútuo, deixando um ou ambos ressentidos e comprometendo a confiança no processo de tomada de decisão dali em diante.

Como chegar a um acordo? Se você e seu parceiro não chegarem a um acordo sobre uma decisão específica, pare, respire um pouco e depois revisite a situação. Às vezes, a parceria necessita apenas de um tempo a mais para jogar como equipe. No entanto, se você está lidando com as adversidades de uma decisão anterior que não pode ser revertida, recorra à ajuda de um apoio extra. Não há estigma relacionado à terapia de casal para resolver problemas que o impeçam de alcançar a funcionalidade de uma equipe sólida.

A tomada de decisões unilateral

Se você e seu parceiro estão habituados a tomar decisões sem se consultarem, ainda que o novo modelo lhe soe interessante, talvez tenham dificuldades em mudar. Ou talvez até experimentem, pois parece bom, mas depois fracassem, em razão de não estarem acostumados a tomar decisões em equipe. Por exemplo, se um de vocês tem tomado todas as decisões sobre babás, vocês dois devem prever que o obstáculo ao novo modelo será certo. Se você é o czar da babá, corre o risco de não confiar em seu parceiro para selecionar as babás de maneira adequada. Portanto, parece mais simples que continue no processo sozinho, mesmo ressentido com a carga de trabalho desigual. Ou talvez ainda seu parceiro tente compartilhar essas decisões, mas naufrague em consequência do acesso desigual à lista de babás com a qual você está trabalhando.

Em síntese, mudar as coisas para que vocês tomem decisões em equipe pode parecer uma carga de trabalho extra que não vale a pena. Então, vou lhe dar uma motivação. No exemplo da babá, você pode se beneficiar muito quando ambos a contratam. Primeiro, compartilhar essa responsabilidade cria uma parentalidade mais igualitária. Segundo, quem nunca selecionou babás antes tem a oportunidade de incrementar a autoconfiança na parentalidade. Terceiro, o revezamento do casal para selecionar babás auxilia o autocuidado. Por exemplo, se você dispõe de pouco tempo para encontrar uma babá, vale a pena cancelar as saídas noturnas; no entanto, passar essa tarefa ao seu parceiro pode lhe propiciar descanso suficiente para salvar sua noite. Enfim, se ambos compartilharem a responsabilidade de cuidar do filho, é bem possível que vivam um espírito de valorização que está ausente quando uma única pessoa conduz o show, e o trabalho de alguém nos bastidores é invisível.

Como mudar de comportamento nessa situação? O primeiro passo é perceber o valor dessa mudança. Esclareça a situação por meio de alguns questionamentos:

- Tenho certeza de que meu parceiro é um privilegiado em todas as nossas decisões?
- Tenho sido tão transparente quanto gostaria de ser ao compartilhar informações com meu parceiro?
- Deixo meu parceiro tomar decisões sozinho?

Pergunte ao seu parceiro como ele se sente quando você toma as decisões:

- Você achou que eu era um jogador da equipe quando elaboramos a lista de enxoval do bebê?
- Acho que eu poderia ter sido mais colaborativo. O que você acha?
- Estive envolvido em todas as nossas decisões quando estávamos grávidos?

Talvez descubra que estava voando alto durante algumas importantes decisões ou que não incluiu seu parceiro. De qualquer forma, estar ciente dessa situação já representa um grande passo.

A próxima etapa é verificar como seu comportamento afeta seu parceiro e vice-versa. Abordaremos no Capítulo 9 como se desculparem reciprocamente, mas, por ora, comece com conversas abertas e solidárias. Observe quaisquer padrões quando houver um lapso na tomada de decisões da equipe. Por exemplo, perceba se um intruso recebeu o *status* de privilegiado, ou quaisquer decisões específicas de parentalidade que impliquem mais dificuldade de colaboração.

Conclusão

A partir do momento que descobre que está esperando um bebê, você e seu parceiro entram em um novo mundo de decisões conjuntas. É importante para ambos que cada um ajude o outro na tomada de decisões e que suas opiniões sejam valorizadas. Esse processo requer prática, gentileza e sinceridade. Como cocapitães da bolha de casal, vocês devem alertar um ao outro sobre cada decisão assim que ela surgir e permanecer unidos até que tomem a decisão da equipe. Recorra ao conceito de privilegiados e intrusos para fortalecer sua equipe e esclarecer a responsabilidade diante do aumento dela. Estejam ambos atentos quando as coisas entrarem em um ritmo meio enlouquecido e trabalhem juntos para voltar aos trilhos.

No próximo capítulo, examinaremos o impacto da chegada do bebê em sua parceria. Exploraremos como manter contato com suas próprias necessidades quando o bebê estiver aqui e como envolver seu parceiro para atender a essas necessidades. Também veremos como ajudar seu parceiro com as necessidades dele. Valorizar as necessidades um do outro manterá sua equipe forte e bem-sucedida.

capítulo 5

CHOQUE DE REALIDADE

Parabéns, seu bebê-bomba entrou em cena! Agora me conte... algum dos momentos a seguir lhe parece familiar?

Você está em pé na cozinha, segurando seu precioso e chorão bebê-bomba. Já assistiu aos vídeos do dr. Harvey Karp[6] sobre os 5S para acalmar a criança e colocou em prática cada um deles à exaustão, mas nada resolveu. Está desesperado para entender o que o bebê quer e satisfazê-lo, porém não tem a menor ideia do que seja.

Ou... depois de muito ninar e cantar, consegue fazer o bebê dormir. Olha para a porta – sua saída da parentalidade e entrada para um necessário adiamento da função – e de repente ela parece muito distante. Queria levitar até ela e atravessá-la sem dar um pio. Mas mesmo seu melhor movimento ninja não funciona: o bebê ouve, acorda e chora. Você voltou à estaca zero, vive um sentimento de derrota e pensa: como vou fazer você dormir de novo?

Ou... está no carro com o bebê indo para uma aula sobre parentalidade. De alguma forma conseguiu sair com ele e está prestes, por um milagre, a chegar na hora certa. Incrível! Mas então sente o cheiro, o inconfundível cheiro de cocô. Você pensa: *por favor, outra fralda vazada não!* O odor é tão forte que dá até medo do tamanho da encrenca que vai

---

6 Pediatra norte-americano e autor do livro O *bebê mais feliz do pedaço*, em que descreve cinco passos para ativar o reflexo calmante e interromper o choro do bebê. (N.T.)

enfrentar lá atrás. Quando estaciona o carro e tira seu filho da cadeirinha, descobre cocô em toda parte – no bebê, nas roupas, na cadeirinha. Olha para o céu e sussurra: "Ajude-me, Senhor!". Mas bem sabe que não só terá de limpar toda a sujeira sozinho, mas também que precisa acomodar o bebê enquanto cuida da limpeza.

Provavelmente não pensou em momentos assim quando pediu um gracioso bebê-bomba. Claro que também não iria prever toda a riqueza de outros momentos, como o olhar fixo fascinado em seu recém-nascido, perguntando-se como é possível que exista uma criaturinha tão fantástica. Ou o momento em que o bebê olha para você e ri pela primeira vez, em um instante de amor mútuo. Você deseja congelar a cena de pura magia. Ou quando vê seu parceiro escalar o Everest tentando descobrir como acalmar seu bebê-bomba, e você sabe que nunca teve mais admiração por tanta paciência e sentiu tanta sintonia com ele.

Tornar-se parental pode abrir uma porta dentro de cada um de vocês cuja existência nem imaginavam. Como Tina Fey disse depois de virar mãe, "Você vai passar por bons períodos em que fica só pensando: 'Isto é impossível... Ah, é impossível'. Mas as coisas seguem e você se dispõe a fazer o impossível", ou seja, aprende a escalar cada novo Everest. Se está lendo isto agora e seu bebê-bomba está a caminho, aperte o cinto e prepare-se para viver o impossível todos os dias. Caso seu bebê-bomba já esteja aqui, provavelmente saiba do que estou falando.

Enfrentar essa nova realidade é mais difícil se você não estiver se relacionando de forma correta com as próprias necessidades. O princípio norteador deste capítulo aborda como valorizar as suas necessidades e as do seu parceiro, afinal, o êxito parental e da parceria se relaciona a identificar e atender às suas necessidades e ajudar seu parceiro a fazer a mesma coisa. Minhas palavras talvez soem contraintuitivas. Por que focar em *suas* necessidades quando tem um amiguinho cujas necessidades devem ser priorizadas e que requer tanto da sua atenção? O mantra deste livro é cuidar de si mesmo e de sua parceria *para então* cuidar melhor de seu bebê.

Já mencionei as instruções de emergência que sempre ouvimos nos aviões: coloque sua máscara de oxigênio antes de ajudar seu filho. O mesmo se aplica quando se trata de valorizar suas necessidades, o que lhe permitirá criar uma base segura para ambos, seu parceiro e sua criança. A vulnerabilidade dos bebês durante os primeiros meses de vida é enorme em sua completa magnitude: eles não conseguem levantar a cabeça, precisam de ajuda para comer, arrotar, dormir e estabelecer vínculos. Não conseguem fazer nada sem sua ajuda. Mas, para ajudá-los – como nossa metáfora diz –, você precisa primeiro cuidar das próprias necessidades.

Neste capítulo, abordaremos primeiro como identificar as necessidades de pais de primeira viagem, o que inclui perceber como elas mudam com o novo *status* de pais. Também lhes darei algumas ferramentas para ajudá-los a descobrir ou redescobrir como cuidar de si mesmos. Em seguida, exploramos como valorizar continuamente suas necessidades e as de seu parceiro e como comunicar com eficácia esse valor dentro da família. Negociar com seu parceiro para que ambos sejam beneficiados irá ajudá-los a tornar isso uma prática diária. Vamos considerar também uma necessidade comumente esquecida dos pais de primeira viagem: a confiança em sua capacidade de serem pais.

PRINCÍPIO NORTEADOR 5: *você e seu parceiro valorizam as próprias necessidades e as recíprocas*

Antes da chegada do bebê, talvez fosse mais fácil se manter antenado às suas necessidades: sono, alimentação, amor, diversão, contatos, tempo sozinho, tempo do casal, atividades físicas, tempo para o exercício da criatividade, horário de trabalho, para citar alguns dos mais óbvios. A vida pós-bebê altera o significado de tudo isso, aflorando novas necessidades que você nunca considerou antes, e até mesmo o sentimento de desconexão, sem que identifique suas necessidades. Afinal, desconectado delas, é difícil avaliá-las. Posso falar por mim.

Uma tarde durante meus primeiros dias pós-parto, tendo acabado de acomodar Jude para uma soneca, entrei na sala onde Charlie estava tocando guitarra.

– Oi, amor, como você está? – ele perguntou, largando o instrumento.

– Bem, respondi. – Jude está dormindo. Oh, meu Deus, Charlie, ele é tão lindinho dormindo. Adoro ver nosso docinho dormir!

– Eu também. Ele é muito especial – Charlie concordou, então olhou para mim com mais atenção, percebendo meu cansaço, movida apenas pela adrenalina. – Por que você não faz algo especial? Desde que Jude nasceu que você não sai de casa sem ele.

Foi então que todo o impacto do bebê-bomba me atingiu. Não só não havia pensado em falar com Charlie sobre sair de casa sozinha, como também não tinha a mínima ideia do que fazer com um tempo livre agora que era mãe. Sem dúvida, um momento surpreendente e surreal.

– Honestamente – falei –, não sei o que faria sozinha. Não consigo me conectar com meu lado que me conhecia tão bem antes de ser mãe. Estou muito vulnerável e perdida.

Charlie se aproximou e me abraçou, tranquilizando assim o meu sistema nervoso. No entanto, entendi que naquele momento precisava mais de conexão comigo mesma, não com ele ou qualquer outra pessoa. Então eu o abracei, agradeci e subi as escadas. Peguei o notebook e comecei a trabalhar para descobrir quem eu era, o que precisava para mim e o que ainda me agradaria fazer sozinha.

Ao final de uma hora, compilei uma longa lista do que costumava gostar de fazer em meu tempo livre e decidi focar em três itens principais: atividades físicas, tempo com outras mães sem os bebês e aconchegos com Charlie. Mais tarde, ele também elaborou sua lista, que revelou que queria tempo para trabalhar em seus projetos criativos, aconchegos comigo e tempo sozinho. Juntos, criamos um plano pelo qual iríamos ter maior ou menor envolvimento parental, para que nossas respectivas necessidades fossem não apenas listadas, mas plenamente avaliadas e satisfeitas.

Na verdade, o bebê-bomba torna você e seu parceiro pessoas diferentes. Paradoxalmente, embora continuem os mesmos em muitos aspectos, estão mudados para sempre diante de tudo que aflora para entender e incorporar. Chegou a hora de conhecer essa pessoa modificada, saber o que lhe agrada e desagrada, aquilo de que precisa e não precisa.

Primeiro, considere suas necessidades básicas – sono, atividades físicas, trabalho, alimentação, banho e assim por diante. Embora elas sejam fundamentais pré-paternidade e pós, realizá-las pode ser complicado. Por exemplo, durante a gravidez, sua capacidade de se exercitar, dormir bem e sentir desejo sexual talvez seja afetada pelas mudanças físicas e hormonais. Comer pode virar uma aventura diária: vai visitar o banheiro antes ou depois da refeição? O enjoo matinal muitas vezes altera sua relação com a comida. Quando tem um recém-nascido, tomar banho soa inviável por um tempo. Então, antes que perceba, isso volta a fazer parte da sua rotina.

A seguir, considere suas necessidades mais significativas, que refletem como deseja gastar seu tempo neste planeta. Podem não se relacionar ao bebê ou ao seu parceiro, mas devem atender a si mesma. Ou pense em coisas que gostaria de fazer com seu bebê, com seu parceiro ou com os dois. Os exemplos incluem dançar, sair com amigos, fazer caminhadas, pintar, ler, passar um dia no spa, praticar esportes, jardinagem, tocar em uma banda, surfar, jogar golfe, participar de liturgias religiosas, nadar.

Quando chegam as pancadas da realidade de ser parental, acredite que essas necessidades mais importantes estão fora de cogitação no futuro próximo. Você vai vê-las como aspectos inacessíveis da fase pré-parental, e talvez até se sinta culpada por se entreter pensando em buscá-las.

Estou aqui para dizer que ignorar as necessidades mais relevantes não vai funcionar. Essas necessidade e desejos a animam, recarregam suas baterias e lhe fornecem oxigênio. Engajar-se nelas é essencial para a sua capacidade de exercer a bolha e para o bem-estar do casal como pessoas, pais e parceiros.

RECONEXÃO COM O VOCÊ PRÉ-PARENTAL

O objetivo deste exercício é avaliar suas necessidades como parental de primeira viagem. Mesmo que não tenha enfrentado uma batalha nessa fase, como eu, sugiro-lhe fazer o exercício de qualquer forma. Pode ser que descubra alguns aspectos de si mesmo que desconhecia.

Para começar, vai precisar de um notebook (ou equivalente digital) e algum tempo a sós e sem interrupções. Talvez queira um chá ou um cafezinho ou alguma coisa que lhe desperte prazer para que esse tempo a sós seja especial. O ideal é que seu parceiro também queira fazer o exercício por conta própria para poderem comparar as observações.

O exercício tem duas partes: meditação (cinco minutos) e anotações (vinte e cinco minutos). A breve meditação tem o objetivo de reconectá-lo com seu corpo antes de começar a se reconectar consigo mesmo em um nível psicológico e emocional.

Meditação

1. Sente-se em uma posição confortável, com as mãos nos joelhos ou no colo, e feche os olhos.
2. Observe sua respiração, prestando atenção na inspiração e na expiração, sem alterá-la.
3. Agora foque em suas mãos; observe-as. Questione-se: *consigo sentir minhas mãos? Consigo sentir o ar as tocando?*
4. Veja o que acontece à medida que continua a focar nas mãos. Parecem quentes ou com formigamento? Esfregá-las suavemente pode ser útil para perceber as sensações e reconectar-se com seu corpo.
5. Volte a atenção de novo para a respiração e observe seu corpo respirando. Abra os olhos.

Anotações

1. Faça uma lista de todas as coisas que gostava de fazer antes de ser parental. Tente não se censurar. O objetivo é ter uma ideia de quem você era e como gostava de usar seu tempo.
2. Escolha três coisas da lista que poderia incorporar à sua vida agora.
3. Leve a lista ao seu parceiro. Se os dois fizerem este exercício, podem descobrir juntos como inserir suas respectivas três coisas regularmente em suas vidas. Se seu parceiro não participar deste exercício, não deixe que isso o impeça de encontrar maneiras de arranjar tempo para si mesmo.
4. Continue acrescentando itens à sua lista nos próximos dias e semanas. Permita-se a surpresa: você pode se lembrar de mais coisas ou descobrir outras novas. Mantenha a lista à mão para que, quando se deparar com algum tempo livre, possa encontrar com facilidade uma maneira de nutrir-se com ela.

Valorização das necessidades mútuas

Agora que começou a valorizar suas necessidades, dedicando um tempo para identificá-las e incorporá-las em sua vida, lembre-se de que, em um relacionamento bolha de casal, há um outro lado no ato de valorizar: a comunicação sistemática entre você e seu parceiro. Veja como isso funciona – ou não – para Greta e Peter.

Greta está preparando Sophie, de dois anos, para dormir. Escova os dentes da filha, veste o pijama, e é hora de ler um livro antes do boa-noite. Uma rápida olhada no relógio lembra a Greta que está atrasada para encontrar suas amigas, Erica e Camila, para um drinque.

– Pete! – grita para que ele ouça por sobre o alto volume da televisão na sala de estar.

Um minuto depois, a cabeça de Peter aparece na porta e ele pergunta:
– Pronta para dormir?
– Quase – Greta responde. – Se você puder ler para Sophie...

Mas Sophie já tem um livro em mãos e uma ideia clara do funcionamento da coisa toda.

– Mamãe lê! – ela choraminga. – Mamãe lê!
– Mamãe não sabe ler – zomba Peter. Greta tinha dito no jantar que ia sair, mas ele presumiu que ela cuidaria da hora de dormir, dando-lhe tempo para assistir ao jogo.

– *É claro* que sei ler – afirma Greta, como se suas competências de letramento estivessem em questão. – Farei isso amanhã.

– Mamãe lê! – Sophie insiste.

Peter lança um olhar de "veja o que você fez" para Greta e sibila:
– Saia logo!

– Estarei de volta, o mais tardar, em torno das nove. – Greta dá um beijo na cabeça de Sophie e se esgueira para fora de casa. Então pensa: *ele sempre sabota as coisas que quero fazer para mim mesma. Eu me empenho muito na casa. Mereço algum tempo livre fora do reloginho de mãe!*

Peter pega Sophie e está prestes a começar a leitura, mas ela também está muito agitada. De repente, ele tem uma ideia – uma surpresa para Sophie que poderia ser agradável para ambos.

– Que tal assistir à TV com o papai?

Problema resolvido. Sophie para de choramingar e corre para a sala de estar, aterrissando no sofá antes que Peter consiga alcançá-la. Satisfeito consigo mesmo, ele a envolve com uma manta para que fiquem aconchegados juntinhos. Relaxado, assistindo ao seu time lutar pela vitória, dorme antes de o jogo terminar.

Assim que acorda, percebe Sophie chorando, e já passa da meia-noite. Enquanto tenta acalmá-la, desliga a televisão e pega o celular para verificar as mensagens. Pensa exasperado: *onde está Greta?* Depois de tranquilizar a filha e colocá-la na cama, senta-se ao lado dela até que adormeça.

Assim que consegue enfim voltar para a sala, Greta entra. Ele a recebe muito irritado.

– Já passa da meia-noite! Você disse que estaria de volta às nove.

– Sabia que você ficaria chateado, então esperei até que você dormisse – ela retruca.

– Sophie me acordou. Acho que chegar de fininho não funcionou.

– Se me deixasse sair mais com minhas amigas, não teria de chegar de fininho.

Peter sabe que deveriam conversar sobre o assunto de maneira racional no dia seguinte, mas não consegue deixar de alfinetar Greta.

– Então é minha culpa você ter sido flagrada? Novidade: não sou seu vigia!

– Não, não é mesmo. Mas achei que fosse meu *parceiro*.

Peter percebe, pela mandíbula cerrada de Greta, como ela se sente pressionada, então suaviza um pouco o tom.

– Olha, tenho uma reunião amanhã cedo. Vou dormir na cama, com protetores de ouvido. Pegue a babá eletrônica e durma no sofá. Continuamos a conversa amanhã.

Enquanto tentam adormecer, Peter e Greta se perguntam como as coisas foram tão longe. Peter se questiona por que ela precisaria chegar às escondidas, e Greta pensa por que ele a fez dormir no sofá com a babá eletrônica. Nenhum dos dois dorme direito.

⟩⟩⟨⟨

Peter e Greta parecem ter alguma noção de suas necessidades individuais. Greta valoriza o tempo com as amigas; ele, o tempo esportivo. Para nossos propósitos aqui, vamos supor que ambos tenham iniciado as listas de suas necessidades. Esse cenário mostra a restrita funcionalidade de tais listas no caso da incapacidade dos parceiros de se comunicarem quanto às próprias necessidades. Em vez de manifestar aquilo de que precisa e negociar com Peter, Greta se esgueira. Peter, por sua vez, foge para a televisão. Se isso já não fosse muito negativo, há ainda a criança no meio do atrito, e a necessidade de amor e segurança dela colocada em segundo plano enquanto os pais batalham para atender às próprias necessidades.

Negociação das necessidades

Valorizar é uma via de mão dupla. É difícil avaliar as necessidades do parceiro se ele não valoriza as suas. Além disso, é complicado pedir-lhe que faça isso se você mesmo não as valoriza. A situação é triplamente mais difícil se vocês não conseguem conversar de forma aberta e sincera sobre essas necessidades. A seguir apresento três exercícios interligados para que sua comunicação sobre necessidades seja bem-sucedida.

Faça uma autoanálise de como avalia suas necessidades. A comunicação construtiva exige que você conheça e monitore o que vai expor. Isso significa se autoavaliar continuamente, tanto antes de se sentar com seu parceiro quanto nos períodos entre as ocasiões em que o faz. Aqui estão algumas perguntas rápidas para se fazer algumas vezes por semana.

- Quais são as minhas necessidades agora? Pense nas necessidades corporais, mentais e espirituais.
- Estou tentando de verdade atender às minhas necessidades? Em caso afirmativo, como isso está me beneficiando? Se não, por quê?
- Meu parceiro está me ajudando a atender às minhas necessidades? Se sim, como você se sente? Se não, como mudar essa situação?

Façam um *check-in* recíproco. A cada semana, reúna-se com seu parceiro e compartilhe o quão bem-sucedido cada um se sente no que diz respeito a valorizar e agir de acordo com suas respectivas necessidades. Isso inclui não apenas conversar sobre os sentimentos de cada um diante do apoio do outro, mas também abordar maneiras de melhorar o trabalho em equipe. Revezem-se na manifestação de suas necessidades e usem as informações para construir confiança e transparência mútuas. Enquanto se comunicam, use suas habilidades de sherlocar: observe as expressões e gestos do parceiro para detectar quaisquer pistas sobre os sentimentos dele a respeito de como suas necessidades estão sendo atendidas.

Negocie ganha-ganha. É fácil valorizar e apoiar as necessidades um do outro quando elas se ajustam naturalmente à vida do casal. Por exemplo, seu parceiro deseja meditar bem cedo pela manhã, antes que alguém acorde. Ou você quer ir à academia depois de deixar seu filho na escolinha. Nesses cenários, você e seu parceiro podem satisfazer suas necessidades sem recorrer a qualquer negociação real. Mas o que fazer quando a situação requer a ajuda do parceiro, quando necessita de uma resolução conjunta? Nesses casos, ambos precisam buscar um ganha-ganha. Abordaremos esse tema no Capítulo 9, mas, por ora, pense em ganha-ganha como soluções em que ambos os parceiros conquistam aquilo de que precisam.

Considere como Peter e Greta poderiam ter alcançado um ganha-ganha. Se Greta quer uma noite livre sem toque de recolher, precisa se sintonizar com Peter para que as necessidades dele não sejam preteridas. E se Peter quer assistir a mais esportes pela TV, tem de manifestar sua vontade à Greta. Na verdade, vamos dar aos dois a chance de um "faça-outra-vez".

Revisitando Peter e Greta

Desta vez, tendo acertado tudo com Peter no jantar, Greta sente-se à vontade enquanto se divertem durante o banho em Sophie.

– Esta superesponja vai lavar essa supergarota!

Sophie ri.

– Eu sou uma supergarota!

Só então Peter entra e diz:

— Supermãe, supergarota... e aqui está superpai! — Todos riem enquanto ele fala para Greta: — Estou pronto para assumir. Você disse que vai sair às sete, certo?

— Sim, obrigada. Estou superansiosa para ver Erica e Camila.

— Estamos mesmo assumindo essa coisa de *super*, hein? — comenta Peter rindo.

— Superassumindo — Greta concorda, e então acrescenta: — Não perguntei antes, mas gostaria de dar uma esticada. Tudo bem se chegar depois da meia-noite?

— Como é, amor!? — Peter franze a testa; não esperava por isso. Mas então se lembra da conversa de ambos antes e decide acrescentar: — O problema é que tenho uma reunião amanhã cedo e só vou conseguir dormir depois que você chegar em casa. Não daria para voltar tão tarde outra noite?

— Ah, já estava pressentindo isso. — Greta para de falar ao perceber os vincos de preocupação na testa de Peter. — Mas, tudo bem, entendo. A que hora seria bom?

— Que tal por volta das dez? Consegue dar conta disso, mulher selvagem?

— Claro. E vamos dar uma olhada em nossas agendas para eu planejar outra noite com as meninas, sem toque de recolher. Combinado?

— Parece ótimo. Falando em querer coisas... — Sophie começa a espirrar água no banho, sinalizando que o tempo de negociações dos pais acabou. Peter pega alguns brinquedinhos na pia e os entrega à filha para ganhar mais alguns minutos. — Sinto falta de assistir ao jogo de futebol ao vivo. Quero voltar a fazer isso.

— Com certeza. Estou muito feliz que tenha dito. Que tal eu sair com Sophie neste fim de semana, assim você pode convidar seus amigos para assistir ao jogo?

— Pode ser. Vamos dar uma olhada em nossas agendas quando você voltar e ver se conseguimos elaborar planos que funcionem para nós dois. Mas agora não quero que você se atrase. Beije Sophie e tchau.

))((

Choque de realidade

A maior mudança nesse cenário é como Greta e Peter são diretos sobre o que querem. Prestam atenção no momento da fala um do outro e se cuidam mutuamente. Ambos avaliam as coisas de que precisam e as valorizam e ainda estão comprometidos em trabalhar juntos para descobrir como viabilizar suas ideias. A negociação de ganha-ganha parece promissora, e eu ficaria surpresa se Greta não conseguisse dar uma volta com as amigas e se Peter não conseguisse assistir aos jogos. Além disso, Sophie também ganha vendo como seus pais cuidam das necessidades mútuas e das dela.

A sensação de confiança como pais

Enquanto Charlie e eu trabalhávamos para valorizar nossas necessidades individuais como pais de primeira viagem, conhecemos um novo conjunto de necessidades: precisávamos saber que poderíamos cuidar com sucesso de Jude e de nós mesmos. Descobrimos a resposta no meio de uma experiência desafiadora.

Uma noite, conforme embalava Jude choramingando, gritei para Charlie:

– Não sei o que ele quer! Já ofereci meu peito, troquei a roupinha mais de uma vez. Estou fazendo aquilo de que ele gosta, erguendo e baixando, mas nada dá certo. Sinto-me um fracasso total! – E comecei a chorar, competindo com Jude.

Charlie se aproximou, levantou minha cabeça para que eu visse seu rosto e disse:

– Você está indo bem. É uma mãe fantástica. Jude é um sortudo de ter você. Eu cuido dele, descanse um pouco.

Eu o entreguei a Charlie e, com gratidão, afastei-me daquela cena de choradeira total.

Senti todo o meu corpo relaxar. As palavras de Charlie soavam em meus ouvidos. Pensei: *sou uma boa mãe. Não consegui descobrir o que Jude queria, mas ainda sou uma boa mãe*. Continuei repetindo as palavras para mim até começar a me sentir melhor.

Quando a sensação de fracasso passou, voltei para a cena do choro (Jude não tinha cedido) e disse:

– Posso segurá-lo? Quero tentar de novo. Não estou mais desesperada.

O choro continuava. Segurei Jude e comecei a cantar cantigas de ninar. Enquanto isso, quase esqueci que Jude estava inconsolável. Perdi-me no papel de mãe, aquele que, dez minutos antes, achava não conseguir desempenhar. A única coisa que mudou foi que naquele momento eu acreditava em mim mesma.

A confiança na parentalidade não chega junto com o bebê, pois vai surgindo da experiência e do apoio. A parte complicada é o bebê não poder dizer: "Você está fazendo um ótimo trabalho, mamãe. Obrigado!", ou "Vejo que está tentando me ajudar, papai. Vou te dar uma dica: estou com assaduras. Por isso não paro de reclamar". Nada disso acontece com os pais de primeira viagem; pelo contrário, eles vivem em uma busca desesperada às escuras, pesquisando respostas na Internet feito loucos, perdidos em intermináveis tentativas de descobrir o que o bebê está querendo. Você está aprendendo um novo conjunto de habilidades (cuidar de bebê), mas não recebe muito *feedback* direto do seu chefe (bebê). É, com certeza, um esforço desafiador.

Charlie e eu descobrimos que nos ajudarmos a construir a confiança como parentais era uma necessidade antes por nós ignorada. Trabalhávamos para encontrar um caminho naquele novo mundo, mas Jude não assumiria o papel de nosso *líder de torcida; estava ocupado sendo um bebê*. Era um caminho de descobertas só nosso. Escolhi enfatizar a necessidade de confiança neste capítulo, porque acho que é fácil para os pais de primeira viagem focar nas necessidades mais comumente reconhecidas e ignorar a importância dela.

Pegue o exemplo do início do capítulo. A fralda do seu bebê vazou em um momento inoportuno, e você se sente sobrecarregada pela perspectiva de limpá-lo. Quem mais neste mundo entende, não só o quanto você ama seu filho, mas também como está esgotada? Seu parceiro! Ele pode ser solidário à sua preocupação em fazer um bom trabalho e fornecer-lhe a tranquilidade de que você precisa. E isso funciona nos dois sentidos.

A vulnerabilidade de ambos como pais de primeira viagem torna-se o ponto de conexão e o de salvação durante momentos estressantes. O contrário também se aplica: se nenhum de vocês reconhece a própria vulnerabilidade e cuida das que se referem ao parceiro, vivencia momentos com potencial de destroçá-lo. Apoiar o desenvolvimento um do outro como pais é fundamental para encontrar muitas outras necessidades de parceria e parentalidade. Quanto mais confiantes se sentirem como parentais, mais vão se envolver para que o parceiro tenha as necessidades satisfeitas e vice-versa. O casal se torna *expert* em apoio recíproco. Aqui estão duas dicas de quem entende do assunto para ajudá-los a construir a confiança na parentalidade.

Dê com frequência *feedback* positivo ao parceiro. Como mencionei, seu bebê não lhe fornecerá *feedback* articulado. Caberá a você fazê-lo. Muitas vezes. Perceber as tentativas um do outro e ser generoso nos elogios pode impulsionar a confiança de um jeito que fará toda a diferença. Não há inconveniente nenhum em dizer (e com frequência): "Acho que você é um ótimo pai!" ou "Você é a melhor mãe do mundo!".

Tenha sensibilidade ao oferecer *feedback* corretivo. Quando fica evidente que as coisas não estão funcionando e você deseja dar um *feedback* construtivo, experimente a técnica do sanduíche. O formato é bem simples: (1) comece elogiando um ponto forte, (2) acrescente uma sugestão para ser avaliada e (3) termine destacando outro ponto forte. Em minha casa, isso é mais ou menos assim: "Adoro como você brinca com Jude. Você é tão presente e bobo. Acho que, quando oferece cinco opções de comida na hora do jantar, ele talvez se sinta incapaz de escolher. Acho que ele é muito novo para isso. Adoro o jeito como torna a hora das refeições divertida fazendo aviãozinho quando ele está comendo. Você é um ótimo pai".

Uma alternativa para a técnica do sanduíche é perguntar ao seu parceiro o que ele pensa. Por exemplo, eu poderia dizer a Charlie: "Acho que estamos oferecendo muitas opções de comida a Jude; não tenho certeza de que ele esteja pronto para escolher em termos de desenvolvimento. O que acha?".

Apesar de os pais nascerem assim que nasce seu primeiro bebê, é bem possível que demore algum tempo para desenvolverem confiança, o que apenas se inicia com o reconhecimento e a valorização da necessidade de confiança. Quase sempre nos distanciamos das coisas quando sentimos que não somos competentes para realizá-las. Portanto, a construção da confiança ajudará o casal a se envolver mais no exercício da parentalidade.

O que dificulta a aplicação deste princípio?

Valorizar as próprias necessidades e as de seu parceiro pode ser uma tarefa delicada, muitas vezes desafiadora, um ato de equilíbrio. O foco da cultura dominante no isolamento do núcleo familiar não incentiva os pais a valorizarem as próprias necessidades. Outro obstáculo está no nível pessoal: suas cores de apego e as do seu parceiro podem comprometer a avaliação de suas necessidades. Vamos examinar essas duas questões mais de perto e considerar maneiras de combatê-las.

A cultura não apoia as necessidades de valorização

"Adoraríamos estar lá, mas não temos quem cuide das crianças." "Um encontro à noite seria divertido, mas não podemos pagar uma babá." "A lista de espera da creche é de meses. Não sei o que faremos nesse ínterim."

Em muitas famílias atuais, a maior parte da responsabilidade de criar os filhos recai sobre duas pessoas – os pais –, sem apoio de membros de um elenco para darem uma mão, alguém com quem deixá-los ou que esteja pronto para ajudar a qualquer momento. "Precisa-se de uma aldeia inteira" é um senso comum, mas, para muitas famílias, essa aldeia está ausente. Além disso, muitos parentais fazem parte de uma "geração sanduíche", cuidando dos próprios pais ao mesmo tempo que são pais de primeira viagem. É difícil recarregar as baterias quando a cultura está sempre transmitindo a mensagem de que tudo o que não prioriza os filhos ou os pais é autoindulgência.

Na comunidade, essa situação se manifesta na forma de faltas de creches de baixo custo, de licença-maternidade e licença-paternidade e de outros sistemas de apoio que ajudem os pais a encontrar um espaço para atender às próprias necessidades. Em vez disso, a maioria é forçada a carregar o fardo da parentalidade sozinha. O problema tem caráter sistêmico, e você e seu parceiro não o resolverão por conta própria. Portanto, considere se envolver mais no ativismo que apoia essas mudanças de política.

Nesse sentido, o que fazer? Para começar, você pode construir sua própria aldeia, ou seja, seu sistema de apoio para ajuda emocional e logística. A menos que tenha parentes próximos, precisará pensar em termos de uma rede de amigos. Construí-la pode soar meio assustador, mas é mais fácil do que se pensa. Você poderá se surpreender com o sentimento de gratidão de sua nova aldeia por ter iniciado essa conexão.

Aqui estão algumas ideias para localizar sua aldeia. Em geral, qualquer lugar onde crianças interajam têm pais superlegais como vocês e igualmente ansiosos por conexão e apoio:

- Creche ou pré-escola.
- Parques.
- Espaços de lazer fechados.
- Zoológicos e museus.
- Bairro.
- Grupos de pais nas redes sociais.

Depois de conhecer algumas pessoas e coletar números de telefone ou endereços de e-mail, é hora de colocá-las para trabalhar. Agende brincadeiras com seus filhos e também reuniões infantis. As brincadeiras das crianças ajudam no relacionamento, mas vocês terão apenas alguns poucos minutos de conversa adulta, antes de serem interrompidos. Os encontros sem a presença dos filhos abrem espaço para uma conversa mais longa, necessária para criar amizades, e dão oportunidades para que os respectivos parceiros entrem no grupo. O processo de desenvolver relações sociais demora, mas não desanime se sentir constrangimento por parte de um novo amigo por algum tempo. E não se apresse por cuidados compartilhados de crianças. Cada relacionamento em sua aldeia será singular: alguns podem evoluir naturalmente para um apoio prático, enquanto outros podem se voltar mais para a satisfação de necessidades puramente sociais. Depois de construir sua aldeia, use-a da maneira que for possível – cuidar de uma criança por uma noite, marcar um horário para brincadeiras infantis ou qualquer outra coisa.

Cores do apego obscurecem necessidades

Aprender a valorizar nossas necessidades e autoestima pode ser uma prática permanente. No entanto, as pessoas que ficam nas partes azul e vermelha do *continuum* do apego talvez a considerem especialmente desafiadora. Isso ocorre porque as pessoas de estilos azul e vermelho raramente tiveram suas necessidades consistentemente valorizadas e satisfeitas quando crianças, o que pode levá-las a uma sensação de constrangimento por expressarem necessidades quando adultas, ou mesmo a negá-las por completo. Isso pode aparecer em sua parceria de variadas maneiras. Por exemplo, como Peter e Greta no cenário da primeira versão, você pode ter dificuldade em dizer diretamente aquilo de que precisa, ou pode esgueirar-se para ter suas necessidades atendidas sem a ajuda ou o envolvimento do seu parceiro.

Se esse for o seu caso, tente não se preocupar muito. Só o fato de saber que essa situação lhe é desafiadora já representa metade do caminho. Quando você tem ciência de que vive uma batalha interior, ela passa a controlá-lo menos. Para isso, reivindique algum tempo de tranquilidade, sem interrupções, para registrar sua relação com as necessidades. Considere estas questões:

- Como minhas necessidades foram valorizadas quando eu era criança?
- Alguém me ajudou a atender às minhas necessidades mais significativas? Se sim, como me senti? Se não, como essa falta de apoio está me afetando agora?
- Como quero que meu(s) filho(s) se sinta(m) quanto a ter necessidades?

Mencionei o último ponto porque seu filho está observando como você e seu parceiro valorizam as próprias necessidades. Seu filho está coletando dados sobre o significado de ser um adulto. Ver você praticar o autocuidado fará com que seu filho se sinta mais propenso a acreditar que também merece ter as necessidades dele satisfeitas – tanto agora como na idade adulta.

É possível que ache doloroso relembrar sua infância. Mergulhar no passado pode trazer ressentimentos de apego, ou seja, lembrá-lo de como se sentiu magoado por seus cuidadores quando era criança e vulnerável. Então seja gentil consigo e busque a ajuda do parceiro. Sentem-se e conversem sobre como as cores de seus apegos podem estar afetando a capacidade de valorizar as próprias necessidades e pedir diretamente que sejam atendidas.

Conclusão

Agora que seu bebê-bomba está aqui, é hora de iniciar uma nova e permanente conversa sobre as necessidades pessoais e do casal. Você, seu parceiro e seu bebê-bomba estão no mesmo barco e, portanto, a escolha para atender às necessidades tem de satisfazer os três. Isso significa que cabe a você e ao seu parceiro a identificação e o apoio a cada uma das suas necessidades de forma igualitária e equilibrada. Neste capítulo, abordamos como se reconectar com suas necessidades básicas, bem como com aquelas mais significativas, incluindo a confiança parental.

Uma necessidade da qual não falamos explicitamente diz respeito ao rejuvenescimento, agora que viraram um grupo de três. No próximo capítulo, vamos aprofundar as ideias do Capítulo 2 sobre como se tornarem *experts* um no outro. Vou discutir como aplicar essas habilidades (e outras mais) para o fundamental propósito de renovação do relacionamento.

capítulo 6

RENOVAÇÃO DO RELACIONAMENTO

Depois de recusar as duas sonequinhas hoje, Ezra está irritado em seu cobertor na sala de estar. Os dedos gordinhos erguem um brinquedo apenas para arremessá-lo de volta de modo atrevido. Em razão de o filho não dormir, Dylan não conseguiu fazer nada do que planejara para o horário de folga: responder e-mails, lidar com a louça, preparar a refeição, nem mesmo se dedicar a um treino físico rápido. Não são coisas extraordinárias, mas dão a Dylan a sensação de calma e organização. Agora, ele se sente cansado, irritado e impaciente para ver Cassie, sua esposa.

Então pega Ezra no colo e tenta acalmá-lo caminhando pela sala. "Mamãe vai chegar logo", sussurra. "Ela sabe o jeito certo para fazer você dormir. Vamos esperar um pouco só até ela entrar por aquela porta". *E é bom que seja rápido*, Dylan pensa.

Enquanto isso, Cassie está irritada e acabada. Trabalhar foi fatigante, sobretudo com uma reunião atrasada. Portanto, chegou à via expressa em plena hora do *rush*. Ela soca o volante várias vezes enquanto olha para o mar de luzes de freio e percebe que seu trajeto normal de meia hora durará mais de uma. É melhor avisar Dylan. Então liga para o marido, que não atende; a opção é uma mensagem de voz: "Querido, não chego para o jantar. Por favor, não me espere. Desculpe".

Assim que ela desliga, seu celular toca. É Dylan.

– Onde você está? – Ele pergunta, sem nem mesmo um "oi".

– Presa no trânsito. Minha reunião...

– Ainda está na via expressa? – Pergunta Dylan em um tom de voz horrorizado.

– Você não ouviu minha mensagem?

– Não. Fiquei ocupado o dia todo com Ezra. Falando nisso, ele está puxando o cachorro de novo. Vou desligar!

Já escureceu quando Cassie chega à casa. Assim que abre a porta, ouvindo os gritos do filho, ela corre para a sala de estar, onde Dylan tenta acalmar um Ezra esfomeado.

– O quê...!? – Ela exclama. – Eu disse para você alimentá-lo e não me esperar.

– E eu disse que não ouvi a mensagem. Não consegui fazer nada que queria hoje. – Dylan parece exausto e frustrado.

Cassie suspira.

– Não sei por que me preocupo em deixar mensagens se você nunca as ouve.

Dylan, de imediato, coloca-se na defensiva.

– Ezra não dormiu o dia todo, e eu estou meio fora de órbita... E você chega uma hora atrasada e ainda grita comigo por não ouvir uma *mensagem*? Isso não é justo, Cassie.

Mas Cassie também está irritada.

– A vida não é justa. Fiquei presa no trânsito noventa minutos. Tive de usar a bombinha de leite no carro e meu dia também foi horrível. Estar em casa com Ezra, com cochilo ou sem, seria melhor do que enfrentar tudo que passei. – Em seguida, Cassie pega Ezra para alimentá-lo.

Dylan vai com ela até a cozinha para preparar a janta, mas com receio de que ambos continuem discutindo sobre quem teve o pior dia. *De qualquer forma, não estou com fome,* diz a si mesmo enquanto sai e se senta sozinho na varanda. E se afunda na tristeza.

))((

A vida pode ser selvagem com um bebê em casa. E por "selvagem" quero dizer selvagem mesmo. Os altos são muito altos, e os baixos, muito baixos. Como Cassie e Dylan, você está pulando do vermelho para o azul no *continuum* do apego, para não falar da tirolesa no *continuum* do sistema nervoso. É fácil ficar sobrecarregado por cuidar de seu bebê, pelo trabalho, pelo trânsito e por qualquer uma das miríades de fatores estressantes da vida. No último capítulo, aconselhei vocês a avaliarem as necessidades mútuas, mas podem descobrir que tudo escoa pelo ralo conforme o estresse aumenta. A solução está em valorizar e atender a uma necessidade muitas vezes esquecida: dedicar-se à renovação do relacionamento. Não precisa se limitar a um encontro noturno longe do bebê (embora essa fugidinha propicie ao casal um tempo divertido de conexão); há muitas maneiras de ambos ajudarem o sistema nervoso do parceiro a equalizar e metabolizar o estresse da vida, sem sair de casa.

Neste capítulo, aprofundamos o conjunto de habilidades necessárias para o casal se cuidar reciprocamente por meio de rituais projetados para uma conexão tranquila durante os dias ocupados com o bebê. Esses rituais podem ser incorporados à sua vida para facilitar contato amoroso do relacionamento, sem ainda mais trabalho. O princípio norteador da corregulação se baseia no que você aprendeu no Capítulo 2 sobre regular o sistema nervoso, sherlocar e acalmar ou empolgar seu parceiro.

PRINCÍPIO NORTEADOR 6: *você e seu parceiro se corregulam*

Muitas vezes penso na música "This Must Be the Place", da banda Talking Heads[7], quando contemplo a corregulação. A letra descreve duas pessoas em tão plena sincronia que nenhuma delas consegue dizer quem é o líder e quem é o seguidor. É uma música fluida e rápida como um relâmpago, que motiva a renovação da parceria. Esse tipo de dança pode fornecer a restauração de que os parceiros necessitam. Conforme você aprende a corregular, vai construindo um repertório de movimentos de dança restauradores que estarão disponíveis quando mais precisar deles.

O sexto princípio norteador opera em um nível macro (teoria do apego) e micro (sistema nervoso). Primeiro, vamos explorar o que você

---

7 Banda norte-americana em atividade de 1975 a 1991, precursora da *new wave*. Em tradução livre, o título é "Esse deve ser o lugar". (N.T.)

e seu parceiro podem fazer para regular no nível macro, o que revigorará o vínculo de apego mútuo. Então nos aprofundaremos no nível micro e saberemos com mais detalhes como usar a regulação do sistema nervoso para manter o ritmo dançante.

Em *Wired for Love*, Stan sugere que os casais usem momentos de transição – acordar, preparar-se para dormir, separações e reuniões – como ponto de partida para a prática da corregulação. Essas transições podem testar a resistência do apego dos parceiros entre si. É fácil ver situações que demonstram como as transições são disruptivas para as crianças. Por exemplo, seu filho, em casa, pode se sentir seguro de que é amado, mas, quando você sai, mesmo que por pouco tempo, sua criança precisa de uma reafirmação extra para desenvolver a confiança de que a mamãe ou o papai voltarão. Até mesmo afastar-se das brincadeiras e trocar a fralda pode ser mais fácil se você estiver mais atento a essa transição.

Com os adultos acontece o mesmo. Nunca superamos totalmente o desafio das transições. O período entre sair de uma atividade e começar outra é desgastante. Às vezes, o estresse é óbvio, como se despedir do parceiro no aeroporto, sabendo que ficarão separados por uma semana. Às vezes, é mais sutil, como se preparar para dormir à noite. Talvez você pense que dormir, sendo uma atividade diária, não implica problema nenhum, certo? Não. O sono é o mais perto que chegamos da morte na vida diária, e nossa psique sabe disso. O mesmo se aplica a sair do mundo dos sonhos e retornar ao mundo desperto. Estes são momentos de vulnerabilidade porque nunca estamos 100% seguros de que a separação não será permanente. Sem dúvida, uma realidade bem assustadora.

Quando você ainda é um grupo de dois, não é difícil criar momentos de renovação para enfrentar transições e outros fatores estressantes. Por exemplo, você pode ficar pendurado no celular a qualquer hora, sem preocupações relacionadas aos filhos. E sempre há os finais de semana na cama, que podem se estender até depois do meio-dia. Ou, se um de vocês viajar a negócios, talvez seja até possível que o parceiro o acompanhe. Em uma bolha de casal, você aprende a usar esses momentos para nutrir a conexão e a intimidade. Mas agora, como um grupo de três, se você pensar em descobrir momentos livres para a renovação, provavelmente sentirá que todas as apostas estão canceladas.

Rituais de corregulação

Na verdade, nem todas estão canceladas. O tempo de renovação é igualmente importante, ou ainda mais, no grupo de três; basta que você aprenda maneiras inovadoras de criá-lo. Uma oportunidade aparece cada vez que você e seu parceiro saem de casa e retornam. Stan se refere a esses momentos como "lançamentos" e "aterrissagens" que você pode usar para cuidar do apego e das necessidades do sistema nervoso. Faça isso ritualizando essas experiências diárias.

    É quase certo que você já tenha feito alguns rituais de lançamento e aterrissagem com seu bebê ou com um filho pequeno. Por exemplo, quando sai de casa, você se abaixa ao nível da criança, diz que a ama e que voltará. O mesmo acontece quando você retorna: logo a abraça, comunicando que ela é amada. Acho que parceiros que são pais têm uma vantagem sobre parceiros sem filhos, porque realizamos esses rituais com naturalidade à medida que construímos vínculos de apego com nossos filhos. Portanto, o processo envolve apenas a adaptação do mesmo tipo de cuidado ao nosso parceiro.

    Por exemplo, gosto de estabelecer contato visual com Charlie e desejar-lhe que fique bem antes de ele sair, sempre acrescentando o quanto o amo. Penso nesse ritual de lançamento como um projétil mágico para um dia melhor. Charlie faz o mesmo, quase sempre falando pelo nosso filho também, que está focado na própria infância. Sempre me sinto melhor nas despedidas quando tenho certeza de que sentirei saudades.

    Você pode usar o ritual de aterrissagem que Stan apresentou em *Wired for Love*, o qual ele chama de ritual de boas-vindas ao lar: os parceiros se acolhem mutuamente por meio de um longo abraço, até que seus corpos estejam relaxados e revigorados. Sinta-se à vontade para adaptar essa proposta à sua situação. Por exemplo, em um mundo pandêmico, vocês podem dar boas-vindas um ao outro pelo contato visual contínuo antes de lavarem as mãos. Ou, se ambos trabalham em casa, o ritual de aterrissagem pode ser expresso em um abraço quando você sai de algum cômodo da casa. Considere como Cassie e Dylan usam sua versão de um ritual de boas-vindas ao lar nesta segunda opção.

Revisitando Cassie e Dylan

Quando Cassie atinge o auge do tráfego, seu corpo inteiro sente o estresse. Arrastando-se pela via expressa, ela pega a bomba de tirar leite para aliviar os seios inchados. *A maternidade é um exercício contínuo de humildade*, ela pensa enquanto cobre os seios com um lenço e posiciona a bomba. Em seguida, recorre à discagem automática para Dylan querendo se desculpar pela demora.

– Amor – ela diz quando ele não atende –, se estou deixando mensagem de voz, significa que seu dia está tão caótico quanto o meu. Você sabe que estarei em casa assim que puder. Quero te encontrar logo!

Enquanto isso, Dylan está balançando Ezra em um vão esforço de tranquilizá-lo, contando os minutos para Cassie chegar em casa. Olhando para o celular, ele vê uma chamada perdida e uma mensagem de voz. Desapontado, intui que ela está atrasada. Respira fundo algumas vezes antes de retornar a ligação.

– Desculpe-me – diz Cassie. – Minha reunião não acabava nunca, e agora estou usando a bombinha de leite na droga do carro.

– Que chato, amor!

– Como estão as coisas por aí?

– Não muito bem; não dá para explicar agora. Ezra não dormiu nada. Mas estou animado à sua espera. Dirija com segurança e estaremos todos dispostos quando você chegar.

Uma hora depois, Dylan ouve a chave de Cassie na porta. Ele pega Ezra no colo e se aproxima para as boas-vindas. Com um braço ao redor de Cassie e o outro segurando Ezra, Dylan a abraça com força, sentindo o próprio corpo relaxar.

Cassie se afasta depois de alguns segundos para fazer contato visual e observar as "falas" de Dylan. Vendo amor no rosto dele, sente seu próprio corpo começar a relaxar. Ezra dá uma risadinha.

– Eu juro – começa Dylan – que esse é o primeiro som feliz de Ezra o dia todo.

Quando Cassie reinicia o abraço, ele sente o corpo da parceira ao lado do dele, ambos mergulhando em um estado de relaxamento. O bebê começa a se agitar.

– É isso aí, amiguinho – diz Dylan. – Mostre à sua mãe como foi meu dia.

Cassie sorri.

– Passe Ezra para mim; vou tentar. – Ela pega o bebê e o abraça, então olha para Dylan. – Ele já...?

Dylan antecipa as palavras de Cassie e diz:

– Quando eu soube que você iria se atrasar, dei a ele uma mamadeira. Mas não preparei nada para o jantar ainda. Aposto que está esfomeada.

– Não se preocupe – ela retruca, os olhos brilhando enquanto balança Ezra no braço. – Nosso garotinho não pode agradecer verbalmente, mas sei que ele aprecia os cuidados diários do papai. Eu com certeza adoro. Por que você não descansa um pouco enquanto preparo alguma coisa?

– Tem certeza?

– Aliás, um descanso merecido. Você sabe que sou bem sincera. Agora vá! – exclama ela, empurrando-o de brincadeira.

Dylan se sensibiliza.

– Obrigado, amor.

⟩)⟨(

Aqui, Dylan e Cassie vivenciam os mesmos elementos estressantes, ainda que a experiência deles seja diferente. Mesmo no meio do tráfego e de uma greve de cochilo, eles antecipam o reencontro e, só o fato de saberem que estarão lá um para o outro, tem um efeito relaxante. O ritual de aterrissagem – um abraço de boas-vindas – atua como uma expressão concreta do vínculo de apego do casal, atraindo-os para o amarelo seguro e solidificando a equipe parceira. Abraço e contato visual também funcionam no nível físico, relaxando o sistema nervoso.

OI E TCHAU

Neste exercício, você e seu parceiro criarão rituais correguladores como uma equipe e vão testar a saída de casa e a recepção de retorno ideais para vocês. Observe que isso funciona não só como renovação, quando você está sob estresse, mas também como uma medida preventiva para fortalecê-lo individualmente contra a ofensiva diária do estresse.

1. Escolha uma semana para o teste. Claro, você não precisa parar depois desse período, mas é útil ter um prazo para avaliar o funcionamento do ritual para você.
2. Projete o ritual (ou mais de um) que você usará. Pode ser o mesmo para o "oi" e o "tchau", ou mude-os se quiser. Considere como ritual beijos, abraços, contato visual, "eu te amo", gestos de saudação e toques suaves. Discuta com antecedência onde seu bebê, ou criança, estará no lançamento e na aterrissagem. Limite o tempo do ritual a um ou dois minutos, para que os filhos não se sintam deixados de lado, e também para minimizar as chances de ser interrompido ou perturbado por uma emergência, como uma troca de fralda ou os gritos de uma criança. Se isso acontecer, retome o ritual assim que possível.
3. Revezem-se. Se vocês dois trabalham fora, a pessoa que chegar primeiro deve saudar a outra. Se um de vocês fica em casa, revezem-se no lado receptor do "oi" e do "tchau".

Conforme forem praticando no decorrer de uma semana, observem como o zelo com o apego mútuo e com as necessidades do sistema nervoso afeta vocês. Sentem-se renovados? No nível emocional? No nível físico? Observem o que funciona bem e o que desejam alterar com o tempo.

BOM-DIA E BOA-NOITE

Este ritual de corregulação pode ajudar você e seu parceiro a se sentirem amados e conectados no decorrer do dia. Colocado em prática quando vocês se levantam pela manhã, permite que saiam da cama com o pé direito, por assim dizer; à noite, possibilita que vivam o sentimento de renovação no final do dia. Vocês estão nisso juntos, então, certifique-se de que seu parceiro esteja engajado no processo e elaborem em conjunto um pré-planejamento. Considerem como cada um dos rituais funciona melhor com base nos horários de sono de todos, incluindo os de seu filho.

1. Escolha uma semana quando vocês dois estiverem disponíveis e saudáveis. Uma criança ou parceiro indisposto pode gerar um obstáculo desnecessário nessa fase de testes. Uma vez que o ritual esteja incorporado à sua rotina, isso não importa.
2. Converse sobre como vocês dois gostariam de ser acolhidos quando acordam: um beijo ou um abraço antes de olhar o telefone. Se ambos acordarem no mesmo horário, manifestem apreço mútuo antes de qualquer outra coisa. Se um bebê o desperta e você tem de pular da cama, o ritual pode se resumir a um sussurrado "eu te amo". Se um de vocês se levantar mais cedo, não precisa acordar o outro; o ritual pode ser um beijo na testa do parceiro adormecido. Se você tiver de sair de casa antes que seu parceiro se levante, e se dispuser de tempo, deixe um bilhetinho de amor no banheiro.
3. Converse sobre como finalizar o dia juntos. Sugiro nomear alguma coisa pela qual você é grato, tocar o nariz em silêncio, esfregar a testa, ler uma história ou dar abraços. Vale tudo, desde que ajude a acalmá-lo para dormir. Não importa quem vai para a cama primeiro ou se ambos vão dormir no mesmo horário. Por exemplo, se você é uma pessoa noturna, visite seu parceiro já deitado para o ritual, antes de retomar suas atividades.

No final de semana, detecte como os rituais funcionaram. Você sente um vínculo mais seguro com seu parceiro? Dormiu melhor ou se sentiu melhor durante o dia? Não mudou nada? Você gostaria de modificar o ritual? Compartilhe suas observações com seu parceiro.

Corregulação no nível micro

Os rituais de corregulação que acabamos de abordar não apenas fomentam a bolha de casal, mas também atuam no sistema nervoso. Receber seu parceiro com um abraço, acordá-lo com um beijo ou ler uma história para ele dormir implica sintonizar e acalmar ambos os sistemas nervosos. Na verdade, você não precisa de um ritual específico, na medida em que a corregulação pode ser realizada durante praticamente qualquer atividade – enquanto fazem amor, compartilham uma risada, cozinham juntos ou conversam sobre os planos para o fim de semana. O que traz a corregulação para esses momentos é a consciência em um nível micro do que está acontecendo em tempo real com os respectivos sistemas nervosos.

No Capítulo 2, você e seu parceiro participaram do jogo da corregulação, no qual testaram seu deslocamento recíproco ao longo do *continuum* do sistema nervoso. Em particular, você recorreu ao sherlocar para identificar indícios não verbais e, em seguida, praticou maneiras de um acalmar o outro. Vamos explorar mais esses elementos aqui para que você incorpore o jogo da corregulação em mais momentos do seu dia em benefício da restauração e do vínculo.

Talvez a perspectiva neurobiológica o ajude a entender o processo. Quando os parceiros se apaixonam, seus sistemas nervosos zumbem de excitação nos momentos em que estão fisicamente próximos. Sabemos por meio de Helen Fisher, antropóloga e bióloga, que esse zumbido é criado pelos neurotransmissores dopamina e norepinefrina, que impulsionam a atração romântica, bem como pelos andrógenos e estrogênios, que impulsionam a atração sexual. Quando esse neurocoquetel começa a fermentar, vocês querem sempre estar juntos!

Entretanto, à medida que o relacionamento sai da fase de lua de mel e você começa a se concentrar mais no cotidiano da vida – que, mais cedo ou mais tarde, pode incluir a parentalidade –, a novidade e a excitação se reduzem. Seu cérebro está ocupado processando todos os dados recebidos e automatizando tudo onde puder. Claro, essa é uma atividade útil para muitas atribuições. Imagine se, a cada dia de trabalho, o cérebro registrasse as obrigações profissionais como uma experiência desconhecida. Ou se toda vez que você amamentasse seu bebê, não pudesse confiar na capacidade de automação cerebral. No entanto, a tendência de automatizar não é necessariamente útil às questões românticas.

Bom saber que se pode renovar e aprofundar um vínculo por meio da corregulação intencional, recorrendo ao exercício que chamo de "estação de corregulação". Destaco que esta atividade não objetiva conquistar uma simbiose perfeita com o parceiro, mas ajustar a percepção de cada um. Você pode se autoperceber entrando e saindo do estado de consciência à medida que seus pensamentos o afastam do aqui e agora. Quando isso acontecer, use suas habilidades de sherlocar para voltar. As "falas" de seu parceiro podem ser familiares, mas a estação de corregulação o convida a redescobri-lo sob uma nova perspectiva. Paradoxalmente, vocês serão capazes de encontrar um lugar de amor tranquilo e seguro enquanto se envolvem com uma experiência inédita mútua.

ESTAÇÃO DE CORREGULAÇÃO

Esta experiência deve ser meditativa, focando o rosto do parceiro como objeto de sua atenção. Para realizá-la, bastam tempo sem distração, capacidade de ficar um diante do outro e cronômetro. Sugiro que a coloque em prática pela primeira vez em um momento em que o bebê esteja dormindo.

1. Sente-se perto, de frente para o seu parceiro, com os joelhos se tocando ou próximos – a não mais de 60 centímetros um do outro. É fundamental que ambos não se distraiam. Sem celulares ou monitores de bebê.
2. Defina o cronômetro para cinco minutos e aperte o cinto para a magia.
3. Olhem um para o outro, sentados em silêncio, sem falar ou se movimentar. Foque no rosto do parceiro como objeto de sua atenção e estudo. Observe os olhos, as bochechas, os lábios, o nariz dele. Seja curioso. Perceba as sensações despertadas dessa observação atenta. Talvez se sinta nervoso no início. Tudo bem. Basta fixar seus olhos nos do parceiro e relaxar os músculos sempre que a tensão aflorar.
4. Quando o cronômetro indicar o fim do tempo, ofereçam um ao outro um reconhecimento silencioso enquanto transitam para fora da experiência; basta um sorriso ou um movimento de mãos um em direção ao outro.
5. Conversem sobre a experiência. Por exemplo:
   - Notou alguma coisa acontecendo em seu sistema nervoso? Foi uma experiência relaxante, empolgante ou ambos?

- Qual foi a sensação de ser olhado fixamente pelo parceiro?
- Você aprendeu alguma coisa? Sobre si mesmo? Sobre o parceiro?
- Vocês se sentem diferentes como casal após este exercício?

A estação de corregulação pode se estender pelo tempo que você quiser. Começar com cinco minutos permite a vocês estabelecerem a corregulação juntos, e usar um cronômetro fornece alguma contenção. Mas sinta-se à vontade para prolongar o tempo ou abrir mão do cronômetro, com base no seu sistema nervoso e no do parceiro e nas necessidades de apego de ambos.

Depois de familiarizado com este exercício, você pode retomá-lo sempre que desejar e integrá-lo ao seu cotidiano, incluindo os horários em que o bebê estiver presente. Na verdade, é excelente que seu filho presencie vocês se cuidando dessa maneira íntima.

Noites de namoro

Sair à noite é uma maneira óbvia de o casal trazer renovação à parceria. No entanto, é bem difícil que pais de primeira viagem encontrem tempo para saídas noturnas regulares. Com frequência você precisa recorrer a uma babá, o que aumenta o custo do passeio. Além disso, se já estiver fisicamente esgotado, apenas a ideia de ajeitar tudo pode soar exaustiva. Sem mencionar que forças externas – desde problemas climáticos a uma pandemia global – podem comprometer suas opções.

Mas insira noites de namoro à sua vida! Essa ideia veio de amigos, KK e Joseph, cujo filho tem a idade de Jude. As feições de ambos se iluminaram quando descreveram como colocavam a criança na cama e arrumavam a casa para a noite de namoro. Como Joseph adora cozinhar, ele prepara uma refeição especial para ambos antes de o bebê dormir enquanto KK fica por perto, e então ouvem música e conversam em um estilo casual pré-bebê. No início, eles estabeleceram como norma não falar sobre o filho durante a noite do namoro, mas, como se tornou um evento semanal, decidiram conversar também sobre ele desde que o foco permanecesse em ambos, como parceiros e parentais.

Charlie e eu nos comprometemos com nossa própria noite de namoro semanal. Depois de nos desligarmos eletronicamente, sintonizamos um no outro, por meio do exercício da estação de corregulação, por cerca de dez a quinze minutos. Estabelecido o clima, fazemos várias coisas juntos. Às vezes cozinhamos, às vezes pedimos comida por *delivery*, às vezes conversamos, às vezes nos abraçamos e assistimos a um filme. Algumas noites incluem intimidade sexual, outras não. Não temos nenhuma regra. Conheço casais que planejam momentos íntimos como parte das noites de namoro, e isso funciona bem para eles.

A noite do namoro é especial para mim e Charlie porque estamos disponíveis apenas um para o outro e dedicamos tempo para nos sentirmos energéticos e brincalhões juntos. Não lidamos com planejamento familiar, nem resolvemos problemas. Nessas ocasiões, a vida se assemelha à fase pré-Jude. Às vezes fico meio entediada quando não consigo pegar meu telefone e interagir com ele, mas Charlie e eu descobrimos que esse tédio nos leva à inovação na forma de novas conversas e experimentos.

Quando você e seu parceiro estabelecerem a noite do namoro, aqui estão algumas coisas que merecem ser discutidas:

- Que tópicos de bate-papo nos aproximam?
- Algum tópico é um tabu?
- Queremos incluir sexo em nossa noite de namoro?
- Celulares e outros dispositivos ficam ligados ou desligados?
- A noite do namoro dura a noite toda?
- O que acontece se, ou quando, ficarmos entediados?
- Quem se encarregada do jantar? Nós revezamos?
- Como reagendamos uma noite de namoro cancelada por motivo de doença, cansaço ou qualquer outro?
- O que sentimos falta de fazer juntos que poderíamos fazer durante a noite do namoro?
- O que não queremos, de modo algum, que faça parte da noite do namoro?

Renovação do relacionamento

Namoro fora de casa

Ainda que a noite do namoro seja divertida, não há nada como sair de casa com seu parceiro sem o bebê. Se você consegue resolver a questão dos cuidados aos filhos e se sente descansada e aventureira, sair com seu amor pode ser uma festança.

Gosto da sugestão de Esther Perel, psicoterapeuta especializada em relacionamento, relativa a namoros diurnos para pais de primeira viagem, porque você estará mais descansada e talvez seja mais fácil alinhar os cuidados com o filho, sobretudo durante o dia nos fins de semana. Também gosto do "saia à noite sem toque de recolher", se a família ou amigos puderem ficar com o bebê durante toda a noite. Saber que você não precisa correr de volta para casa por causa da babá tem um grande potencial de animar sua noite. Conheço um casal que se surpreendeu jogando boliche por horas em uma noite sem toque de recolher, e outro que, espontaneamente, foi a um bar com uma banda ao vivo e dançou pela primeira vez em muito tempo.

E se sua família mora muito longe? Ou você fica constrangido de pedir a amigos? É hora de construir sua aldeia! Sarah e Darío, nossos amigos, têm um filho da mesma idade de Jude. Depois de nos aproximarmos por meio de experiências selvagens de parentalidade, acabamos nos oferecendo para ajudar na noite do namoro (do tipo *com* toque de recolher), mas demorou pelo menos um ano de amizade e encontros para brincadeiras pais-filhos antes de mergulharmos na aventura. Agora vou até a casa deles e fico com a criança, coloco-a na cama e assisto à TV até que voltem. No nosso caso, Darío quase sempre é quem assume essa função. Eu adoraria encontrar mais famílias com as quais compartilhasse esses momentos.

Quando você e seu parceiro estabelecerem a noite do namoro fora de casa, aqui estão algumas coisas que merecem ser discutidas:

- Em que dia(s) da semana estamos mais descansados?
- Aonde queremos ir: algum lugar novo ou familiar?
- Queremos uma babá antes ou depois da hora de dormir do bebê?
- Como podemos aliviar a pressão para nosso desfrute da noite do namoro fora de casa?

- Quem são nossas pessoas favoritas para pegarem o bebê? Que amigos gostaríamos que aprofundassem o relacionamento com nosso filho?
- Como queremos terminar nossa noite de namoro?
- Cada um de nós deseja coisas diferentes para nossa noite de namoro? Se sim, como podemos encontrar um ganha-ganha?

O que dificulta a aplicação deste princípio?

A ideia de usar práticas corregulatórias para renovar a parceria pode provocar um grande "Dã! Por que não faríamos isso?". Mas tenho percebido dois obstáculos que comprometem a corregulação como prática diária, os quais talvez lhe estejam passando despercebidos: um se refere ao desafio emocional de deixar o bebê para sair com o parceiro, e o outro é de cunho cultural. Veremos como cada um deles pode estar influenciando você e seu parceiro, e apresentaremos algumas soluções.

Não querer deixar o bebê

Há um impulso emocional palpável em estar com o bebê com a maior frequência possível. Você o ama e adora ficar com ele. Como já abordamos, separações são momentos de estresse para parentais e filhos. Entretanto, o fato de parecer difícil não significa que seja negativo para o bebê ou para vocês. Quase sempre, os momentos de transição constituem a parte mais complicada. Não estou dizendo que você não vá sentir falta do bebê ou que ele não sentirá sua falta, afinal, sentimos saudades daqueles que mais amamos no mundo. Mas não se preocupe se seu vínculo com a criança será comprometido porque você e seu parceiro se afastaram por algum tempo de qualidade juntos. Na verdade, deixar seu filho sob os cuidados de alguém gera uma oportunidade para ele desenvolver novos vínculos, e vivenciamos tal situação por meio de meus próprios desafios ao deixar Jude. Quero que ele construa fortes vínculos de apego com outras pessoas além de Charlie e eu.

Nesse caso, o que fazer? Se você acha complicado separar-se do seu bebê, aqui estão algumas maneiras de ajudá-lo:

- Encontre pessoas que você gostaria que construíssem vínculos com o bebê: amigos, familiares ou gente incrível para isso.
- Não transmita seus medos ao bebê. Se você ficar nervoso com a separação, ele vai perceber. Portanto, certifique-se de apresentar os cuidadores ao bebê de um modo que revele sua confiança e apoio. Observe, mas não se engaje em nenhuma maneira sutil de transmitir medo.
- Lembre-se da importância de colocar primeiro sua própria máscara de oxigênio. Já abordamos a questão do valor de cuidar de si e de sua parceria para cuidar melhor do próprio filho. Uma forma que a máscara de oxigênio pode assumir é o tempo de pausa e de atividades que o recarregam. Quando entro em conflito pessoal para deixar Jude, recorro a um mantra: *cuido de mim mesma para então poder cuidar de Jude*. Sinta-se à vontade para usá-lo ou criar o seu próprio, se isso ajudar.

Corregulação soa como codependência

"Vocês dois estão muito interconectados e dependentes um do outro."; "Não seja tão dependente do seu parceiro."; "Preciso ser capaz de me tranquilizar e me entusiasmar. Não deveria depender de ninguém para isso.".

Em nossa cultura, que valoriza o individualismo em detrimento da colaboração, pululam mensagens de alerta contra a dependência, enfatizando que devemos priorizar o autocuidado. Portanto, ao compreender o princípio norteador deste capítulo, você talvez se preocupe com a possibilidade de que formar uma equipe com seu parceiro no nível do sistema nervoso resulte em codependência. Talvez pense que confiar em alguém para cuidar de você dessa forma é algo que cabe aos pais em relação aos filhos, não aos adultos em relação a outros adultos. Talvez você até receie que, como resultado, será menos capaz de cuidar de si. Ou seu parceiro pode levantar essas questões. Portanto, serei bem clara: corregulação não é codependência! E nem sequer vai levar a isso. A codependência não se baseia em benefício mútuo ou igualdade de dar e receber; ao contrário, um parceiro depende do outro para o senso de identidade de ambos. Em contraste, a corregulação é caracterizada pelo cuidado mútuo.

Nesse caso, o que fazer? Aqui estão várias maneiras de fortalecer sua colaboração e minimizar quaisquer preocupações que você ou seu parceiro tenham quanto à codependência.

- Avalie continuamente se você e seu parceiro são cuidados igual e regularmente e converse sobre isso em prol de um relacionamento interdependente, não codependente.
- Se um de vocês sentir injustiça, a resolução do problema cabe a ambos. Se um dos parceiros disser: *"Isso não parece justo"*, encontrem juntos uma solução. Essa prática de compartilhar a responsabilidade pela saúde do relacionamento é em si mesma correguladora e produzirá apego, segurança e intimidade mais sólidos.
- Não se esqueça de se autorregular. No Capítulo 2, a primeira etapa do jogo da corregulação centrou-se em tranquilizar seu próprio sistema nervoso. Agora você e seu parceiro já se tornaram *experts* um no outro, o que não significa que deve esquecer o autocuidado. Há tempo para ambos!

Conclusão

Na paternidade/maternidade – especialmente na primeira, quando o sistema nervoso dos parceiros está preparado para o esgotamento –, é essencial que os parceiros se abasteçam com pilhas e pilhas de renovação de relacionamento. Com essa finalidade, compartilhei práticas corregulatórias para otimizar o cuidado dedicado ao sistema nervoso. Os rituais de lançamento matinal e de aterrissagem não apenas fortalecem os vínculos de apego, mas também aliviam o sistema nervoso durante os períodos de transição. Para ajustar o nível do sistema nervoso, introduzi a estação de corregulação, uma prática para iniciar as noites de namoro.

Use-a também para aprofundar o vínculo entre ambos sempre que um de vocês precisar de alguma renovação.

A Parte III deste livro, "Prosperidade no grupo de três", inicia-se no próximo capítulo. Nele, abordaremos dilemas comuns, incluindo responsabilidades conflitantes entre família e trabalho, bem como quando começar uma carreira ou retornar ao trabalho. E você encontrará maneiras de conquistar o sempre difícil equilíbrio entre a vida familiar e a profissional.

parte III

PROSPERIDADE NO GRUPO DE TRÊS

capítulo 7

CRIE EQUILÍBRIO

Li o livro *Minha história*, de Michelle Obama, quando eu já carregava o *status* de mãe há cerca de dois anos. Durante quase todo esse período, exceto por quatro meses, fui uma mãe que trabalhava fora, portanto, conquistar o equilíbrio entre família e trabalho era uma missão diária para mim. Michelle descreveu como, durante os sessenta minutos que ela se dava para o almoço enquanto trabalhava como diretora-executiva, voava para um shopping próximo, corria por várias lojas e adquiria tudo de que sua família precisava, e ainda parava na Chipotle para comprar burritos para si. Sentar-se no próprio carro no estacionamento do shopping, comer burritos e ouvir músicas, sabendo que fora bem-sucedida, proporcionava-lhe uma sensação de delicioso dever cumprido: cuidara de tudo e de todos.

Identifiquei-me tanto com essa cena – como imagino que aconteça com a maioria dos parentais que trabalha fora – que a li, reli e pensei em meus próprios momentos comendo Chipotle no carro. Uma vez, esquivei-me de um treinamento clínico e consegui um lugar privado para bombear o leite, enquanto revisava minhas anotações e pedia roupas novas para Jude do meu celular, tudo ao som de oba-oba-oba-oba. Ou todas as manhãs eu me maravilhava levando Jude para correr comigo, tomando banho, vestindo-nos, embalando nosso lanche, levando-o para a escolinha, falando com seu professor sobre o desempenho do meu filho, e ainda chegando ao trabalho com tempo livre para fazer uma dancinha de felicidade antes de receber meu primeiro cliente. E ainda pensava: *estou dando conta de tudo da vida de mãe que trabalha fora! Todos estão seguros e amados!*

Claro que também tive e continuo a ter muitos momentos menos estelares de mãe que trabalha fora. Ao refletir sobre minha experiência e a de outros parentais na mesma situação, afirmo com clareza: a conquista do equilíbrio entre família e trabalho acontece em alguns instantes. Não é um ponto de chegada final. Ocorre de você encontrar e saborear o equilíbrio em um dia e perdê-lo no outro. E isso acontece por motivos fora de seu controle, como demandas repentinas do local de trabalho ou uma enfermidade do filho. Ou uma pandemia global que altera todo o modo de vida. Se não é uma coisa, é outra. Nessas situações, empenhe-se de novo na busca do equilíbrio. Dessa forma, podemos considerar o equilíbrio um aspecto da bolha de casal, que, como você sabe, existe em um *continuum*.

Para ser bem-sucedido em seu grupo de três, você precisa encontrar soluções que mantenham família e vida profissional equilibradas no longo prazo, em outras palavras, que sirvam como uma prática de vida. Vamos iniciar o processo conhecendo algumas dinâmicas capazes de causar desequilíbrio; em seguida, apresento um exercício cujo objetivo é avaliar seu equilíbrio atual. Um segundo exercício orienta você e seu parceiro a ajustar quaisquer desequilíbrios em prol de criar soluções ganha-ganha. Por fim, examinamos como a identificação e o comprometimento com os valores familiares podem ampliar a base de bolha de casal de sua família de três.

PRINCÍPIO NORTEADOR 7: *você e seu parceiro mantêm o equilíbrio entre família e vida profissional*

A ironia de escrever um capítulo sobre o equilíbrio entre família e trabalho neste momento específico, com várias semanas em quarentena por conta da novela do coronavírus, não passou despercebida. Distorceram-se as linhas entre a vida familiar e o trabalho, e enfrento o desafio de encontrar novas maneiras de conquistar o equilíbrio. Estou sentada no canto do nosso quarto, que reivindiquei como meu novo escritório. Jude acabou de me visitar para entregar uma cobra de pelúcia e pedir que eu a use enquanto escrevo. O réptil de um rosa brilhante enrolado no meu pescoço me lembra que encontrar equilíbrio ainda é fundamental, mesmo naqueles momentos em que é quase impossível encontrá-lo.

Nos capítulos anteriores, abordamos a importância de tomar decisões conjuntas e cuidar um do outro. Especificamente na criação do equilíbrio entre família e trabalho, o trabalho em equipe entra em jogo. Para um grupo de dois – e ainda mais para um de três –, esse equilíbrio pode virar um complicado ato de malabarismo.

Além da dramática disrupção de uma pandemia, que tipos de dinâmicas de vida podem comprometer o equilíbrio? Vejamos as mais comuns.

Em que ponto você está na carreira profissional. Se a sua carreira e a do seu parceiro já estão estabelecidas quando vocês formam sua família, uma mudança no ritmo do trabalho talvez seja bem-vinda. Se vocês planejam isso como uma equipe, podem levar o tempo de que necessitam para reajustar seu equilíbrio enquanto se estabilizam no grupo de três. No entanto, talvez estejam começando sua carreira e aumentando a família ao mesmo tempo. Digamos que você concluiu o curso superior enquanto seu bebê-bomba estava tiquetaqueando, e agora está ansioso para iniciar na profissão. Mas se pergunta: se uma creche ou berçário exige tantos gastos e você está novo em sua profissão para ganhar dinheiro trabalhando fora, iniciar sua carreira agora faz sentido?

Na ausência de um trabalho em equipe como bolha de casal, as demandas de uma nova profissão somadas às do bebê-bomba podem resultar em fracasso. Para evitar essa tensão, alguns pais (geralmente mulheres) decidem postergar a carreira profissional. Exceto se for uma escolha consciente feita como equipe – com um processo de tomada de decisão conjunta para identificar o momento certo para começar a trabalhar –, esse adiamento pode gerar frustração, ressentimento e desequilíbrio crônico.

Quando voltar ao trabalho. Quase sempre, um ou ambos os parceiros se afastam do trabalho quando o bebê nasce. Mesmo que vocês planejem essa decisão como equipe, incluindo uma estratégia para conquistar o equilíbrio entre a vida familiar e a profissional, quando chegar a hora, talvez descubram que não é tão fácil assim. Já contei o desafio que Charlie e eu enfrentamos durante a transição para a fase em que um de nós ficaria em casa com Jude o tempo todo até contratarmos uma babá para que ambos trabalhássemos em tempo integral. É natural sentir-se ansioso por deixar o bebê e se estressar, mesmo que completamente pronto para retomar o trabalho.

Um dos parceiros é o que fica em casa. Um parceiro atuar como parental primário e assumir as tarefas da casa pode ser uma receita para o desequilíbrio. Ainda que seja um trabalho essencial para o grupo de três, é *invisível*, ou seja, não remunerado e quase impossível de ser monitorado ou aplaudido. A falta de consideração o torna alvo de desentendimentos e mágoas. Mesmo a bem-intencionada pergunta "O que você fez hoje?" dirigida àquele que fica em casa pode produzir efeitos emocionais negativos. O trabalho em casa é física e psicologicamente desgastante, pois exige que você resolva inúmeros problemas para cuidar do filho e, ao mesmo tempo, manter a casa em ordem. No entanto, não é raro que a casa esteja de pernas para o ar ao final do dia, sugerindo que nada foi feito.

Um parceiro trabalha muito. Quando os solteiros trabalham muito, a falta de equilíbrio é uma escolha que afeta apenas a eles. Mas, se você ou seu parceiro for *workaholic*, o outro também será afetado. E, quando você se torna parental, esse impacto se estende a três e mais além. Uma agenda pesada de trabalho pode ser inerente a ele, ou uma escolha baseada em hábitos, ou também necessidade financeira. Independentemente do motivo, é possível que se torne um problema se o outro parceiro ficar sobrecarregado com os cuidados do filho e vocês não tiverem um processo de atuar em equipe para resolver a questão.

Parentalidade sobrecarregada de um parceiro. Suponha que você e seu parceiro trabalhem fora e tenham concordado em compartilhar os encargos da parentalidade. No entanto, você se sente compelido a preparar o lanche de sua filha todos os dias porque está convencido de que o parceiro não conhece bem as preferências alimentares da criança e, portanto, é mais fácil fazer a tarefa sozinho do que discutir o assunto com ele. Você quer que seu companheiro parental participe mais, pois sabe que isso é do melhor interesse de sua parceria e do bem-estar da filha. Mas você não consegue.

O domínio ativo de um parceiro que acredita que deve fazer tudo – seja porque é (ou acredita ser) mais competente, seja porque fazer tudo é um aspecto relevante para seu papel parental – foi chamado de *controle materno*. Nas heteroparcerias, quase sempre é a mulher quem age desse modo, mas, como pode ocorrer com os parceiros de todos os gêneros, prefiro chamar de *controle parental*. De qualquer forma, refere-se ao microgerenciamento de cuidados com os filhos, manutenção da casa e tudo que diz respeito à missão da parentalidade. Essa atitude expulsa da equipe seu parceiro e afasta um do outro.

Autocuidado reduzido ou exacerbado. Ainda que este capítulo foque sobretudo no equilíbrio entre família e trabalho, nem todas as questões relacionadas ao tópico envolvem trabalho. A maneira como cada um de vocês pratica o autocuidado também precisa estar em equilíbrio. Suponha que seu parceiro se engaje em corridas de longa distância depois da chegada do bebê-bomba. No início, você se sensibiliza ao ver como a atividade física faz bem a ele, cujas endorfinas se estendem à família. Mas então descobre que ele entrou para um clube de corredores, o que implica ausência dos deveres parentais várias noites por semana depois do trabalho e metade do dia de todos os sábados, para se dedicar a atividades de corridas em grupo ou competições. Você se ressente ainda mais conforme percebe que seu autocuidado também será afetado. Um parceiro proclamando que não tem tempo para autocuidado não ajuda em nada; o tormento é negativo para o indivíduo e para a equipe. Quando se trata de equilíbrio, o autocuidado reduzido pode ser tão prejudicial quanto o exacerbado.

CHECK-IN DO EQUILÍBRIO

O *check-in* do equilíbrio é uma ferramenta para ajudá-lo a ter uma noção mais clara do seu equilíbrio e o da sua família. Sente-se inicialmente sozinho para responder às perguntas. Para cada item, primeiro faça uma estimativa do tempo dispendido em cada atividade. Em seguida, avalie seu nível de prazer em uma escala de 1 a 10 para o período gasto. Por exemplo: eu dedico 35 horas por semana à minha carreira e meu prazer é 8.

Lembre-se de que o equilíbrio tem caráter subjetivo. O que lhe desperta a sensação de bem-estar pode parecer desequilibrado para seu parceiro ou melhor amigo. Tente considerar sua própria experiência aqui.

Quantas horas semanais eu gasto para...

- Trabalhar (por exemplo, deslocamento diário casa/trabalho e vice-versa, tempo no local de trabalho, tempo dedicado a qualquer trabalho que levo para casa)? Qual é meu nível de prazer em uma escala de 1 a 10?
- Trabalhar em nossa casa (por exemplo, limpeza, compras, administração das tarefas domésticas, lavanderia, cozinha)? Qual é meu nível de prazer em uma escala de 1 a 10?
- Estar com meu parceiro apenas nós dois (por exemplo, em casa ou em outro local qualquer)? Qual é meu nível de prazer em uma escala de 1 a 10?
- Estar com nosso filho (por exemplo, escolinha, transporte, brincadeiras com amigos, refeições, atividades e lições de casa)? Qual é meu nível de prazer em uma escala de 1 a 10?
- Praticar o autocuidado? Qual é meu nível de prazer em uma escala de 1 a 10?

Depois de coletar os dados, sugiro que escreva sobre eles em seu diário para um entendimento mais profundo do significado das anotações para você individualmente e para sua parceria. Observe que esta não é uma atividade única; recomendo fazer *check-ins* periódicos de equilíbrio, sobretudo quando sua vida muda em função de determinadas circunstâncias.

Seu parceiro também pode fazer a atividade sozinho. No próximo exercício, que chamo de "ajuste de equilíbrio", vocês dois terão a oportunidade de compartilhar os resultados do *check-in* e negociar um ganha-ganha para todas as áreas desequilibradas.

Equilíbrio em equipe

Patrick recolhe alguns brinquedos do sofá e faz um gesto para Danny se sentar ao lado dele.

– Etta dormiu; que tal a gente fazer um *check-in* do nosso equilíbrio?
– Eu sei que ela está dormindo. Acabei de acomodá-la – Danny diz em um tom frio de voz enquanto se atira no sofá e pega seu tablet. – Mas já posso lhe dizer agora que meus escores não são altos.

Patrick dá uma olhada nos resultados de Danny e os compara com os escores no próprio tablet. Embora todas as avaliações de prazer sejam altas, as de Danny são outra história.

– Veja o emprego e a carreira – diz ele. – Temos um grande desequilíbrio aí. Avaliei meu prazer com 10, e você se deu nota 1 nesse quesito.
– E veja o desequilíbrio quanto ao tempo trabalhando em nossa casa – retruca Danny.
– Bem, isso não surpreende, considerando que você está em casa o tempo todo – rebate Patrick. – Mas continuo sem entender por que seu prazer ganhou apenas 1. E seu prazer de estar com Etta apenas 5, e seu autocuidado é 1 também. Caramba! Qual a encrenca aqui?
– Claro que gosto de ficar com Etta. Na verdade, *adoro* – diz Danny. – Mas, quando somei minhas horas, matei a charada; com todo meu trabalho por aqui, estarei na terceira idade antes de retomar os estudos. Aí está a razão dos escores baixos.

Patrick está surpreso.

– Eu nem sabia que você queria voltar a estudar.
– Claro que quero. Você acha que meu objetivo de atuar na área de saúde evaporou quando adotamos Etta? Ela tem três anos, coloquei meu sonho em banho-maria e ainda carrego uma carga mais pesada do que você... há muito tempo!
– Uma carga mais pesada do que *eu*? – Patrick olha para as setenta horas que orgulhosamente registrou para o emprego no mercado imobiliário. Ele se sente atordoado com a mistura de alarme e raiva que o está inundando. – Você está mesmo falando sério? Durante três anos, tenho sacrificado meu tempo com você e Etta para morarmos nesta linda casa... Aliás, onde você odeia trabalhar!

– Estou falando a verdade – retruca Danny. – Foi muito doloroso registrar esses escores tão baixos. Você não precisa passar setenta horas no trabalho; desacelere e passe mais tempo com Etta. Talvez não tenha sido uma ideia tão legal fazer este *check-in*.

Patrick continua atordoado. Sentado em silêncio, balançando a cabeça, ele pensa: *não vejo como vamos superar esta situação toda sem que um de nós saia como perdedor.*

)》《(

Nesse cenário, nenhum dos parceiros consegue encarar a discussão como o início de uma redistribuição gratificante de trabalho. Eles ainda não atuam como uma equipe; consideram os respectivos escores pelo valor nominal e deixam por isso mesmo. Concluir o *check-in* do equilíbrio fornece informações sobre como você gasta seu tempo e como se sente. No entanto, isso não basta. A próxima etapa é encontrar o parceiro, ambos se ouvirem, descobrir por que alguns escores estão baixos e solucionar o problema em conjunto.

Um de vocês pode estar com a vida fora de equilíbrio, ou ambos, e ainda podem estar fora de equilíbrio na relação a dois. As três possibilidades – ou uma combinação delas – são possíveis. Se um de vocês estiver desequilibrado, cabe ao outro oferecer apoio. Por exemplo, se o único *insight* resultante desse exercício foi o desejo de Patrick de diminuir o ritmo no trabalho, ambos poderiam ter se focado em um *brainstorming*. A situação se complica mais quando o cerne do desequilíbrio está no relacionamento. Então você precisa encontrar uma solução ganha-ganha. Lembre-se de que esse tipo de solução desencadeia resultados em que ambos os parceiros se sentem seguros e, desse modo, nenhum se afasta ressentido ou magoado.

O ganha-ganha é uma marca registrada das relações de bolha de casal, pois os dois parceiros reconhecem que, quanto mais equilibrado cada um se sentir, melhor será o relacionamento. Portanto, não se trata de altruísmo; na verdade, é do seu interesse pessoal se preocupar com o equilíbrio do parceiro ou a falta dele. Nisto consiste o alicerce da bolha de casal: ambos desejam o que é bom para ambos. É o ponto máximo do trabalho de equipe. E isso torna a parceria um lugar no qual os dois querem estar, um lugar que desperta sensações positivas aos sistemas nervosos de ambos e traz uma segurança amarela incandescente à vida.

AJUSTE DO EQUILÍBRIO

Sente-se com seu parceiro para comparar os resultados do *check-in* do equilíbrio; converse sobre os sentimentos de cada um quanto aos seus respectivos tempos e escores de prazer.

1. Revezem-se para compartilhar suas avaliações. Nesse momento, ouvir é fundamental. Acredite no parceiro se ele não se sente confortável com a igualdade da parceria. Deem um ao outro o benefício da dúvida. As dicas para uma comunicação construtiva, assunto que já abordei, também se aplicam aqui: seja aberto, sincero, direto, respeitoso e gentil; pratique o sherlocar, a autoavaliação e a corregulação.
2. Conversem sobre suas avaliações. Aqui estão algumas perguntas relevantes:
   - Em geral, nós, como casal, temos um bom equilíbrio entre família e trabalho?
   - Algum de nós está gastando mais tempo do que gostaria em alguma área? Menos tempo?
   - Como nossas respectivas horas e avaliações coincidem para cada pergunta?
   - Alguma das nossas pontuações é 5 ou inferior? O que isso sugere?
3. Negociem um ganha-ganha. Escolham uma ou duas maneiras pelas quais vocês se sintam desequilibrados, individualmente ou como casal. Encontrem algumas soluções para um melhor equilíbrio entre trabalho e família, que sejam ganha-ganha.

Revisitando Patrick e Danny

Vamos ver a situação de Patrick e Danny quando seguem o *check-in* com um ajuste do equilíbrio.

– Isso vai mesmo pesar um pouco, amor – diz Danny enquanto acomoda o monitor do bebê e passa o tablet para Patrick. – Tenho escores ruins em quase todas as áreas.

Patrick olha nos olhos de Danny e percebe que seu marido está desanimado.

– Não se preocupe. Vamos entender o que anda acontecendo. – Depois que os dois revisaram seus escores, ele diz: – O que você deduz dessas pontuações baixas, Danny?

A pergunta ajuda o foco de Danny, que então começa a se sentir um pouco melhor.

– Quando estava fazendo minhas anotações, descobri como me chateia não seguir minhas metas de vida. Eu realmente quero ser enfermeiro clínico.

– Uau! Estou muito feliz em saber que não desistiu da carreira. Você seria um excelente enfermeiro, Danny! – Patrick exclama.

– Obrigado – agradece Danny, corando. – Meu sonho sempre foi ajudar os outros. Sinto-me feliz por ter passado esses anos com Etta, mas estou pronto para a mudança. E vou precisar da sua ajuda.

– Tudo bem – afirma Patrick, engolindo em seco.

Danny imediatamente identifica a "fala" de Patrick.

– Você está meio contraído. O que aconteceu?

– Não consigo esconder nada de você! – Patrick sorri, superando a leve contrariedade com as boas habilidades de sherlocar de Danny.

Ele retribui o sorriso.

– Querido, estou aqui para conhecer e amar você.

As palavras sensibilizam Patrick, que começa a relaxar.

– Preciso de sua ajuda também. Agora que estamos neste assunto, aquelas setenta horas cronometradas no trabalho estão começando a parecer fora de sintonia com as doze que passo com Etta. Não sei como você vai reagir, mas... quero trabalhar menos e passar mais tempo com ela.

– Por que isso poderia me incomodar? Adoro essa ideia! – Danny exclama.

Patrick gosta do entusiasmo sincero, mas quer ser bem realista quanto aos desafios.

– Ficar mais tempo em casa significa menos dinheiro para nossa família. E a faculdade será cara.

– Oh, Patrick! – Danny pega a mão do marido para que fique claro que não fará nenhuma crítica, mas sim manifestará o espírito de uma equipe ganha-ganha. – Você sempre acha que tem de fazer tudo pela nossa família. Vou procurar créditos e bolsas estudantis, não se preocupe! Além disso, se você reduzir o ritmo do trabalho, poderá ficar mais com a Etta, o que diminuirá o gasto com babás ou escolinhas. É exatamente desse ajuste que precisamos.

Patrick relaxa, a cabeça apoiada no ombro de Danny.

– Bom, estou meio assustado. Você sabe como me sinto em relação a mudanças.

Danny ri.

– Sei mesmo. Mas isso será melhor para nós três. Etta ficará feliz em passar mais tempo com você, e acho que será legal para ela me ver trabalhar fora de casa também.

))((

Como vimos, esses parceiros estão no caminho certo para encontrar soluções ganha-ganha para a família de três pessoas. Eles se preocupam tanto com os escores um do outro quanto com os próprios. Também são capazes de corregular e usar seu *status* de especialistas mútuos para dissipar as tensões, o que lhes possibilita encontrar juntos o caminho para o amarelo seguro e a receptividade.

Observe que o principal elemento para o sucesso do casal está na complacência de explorar os aspectos subjacentes aos escores baixos (Patrick quer passar mais tempo com Etta; Danny quer retomar os estudos). Talvez seja necessário algum esforço, individual e em conjunto, para descobrir o motivo dos escores baixos e encontrar uma solução ganha-ganha, portanto, não desista do processo se ele não funcionar na primeira rodada. Planeje várias conversas sobre como tomar essas decisões conjuntas. O objetivo é criar infraestrutura para o equilíbrio, o que exige muito empenho.

Valores familiares de bolha de casal

Você e seu parceiro podem ser capazes de aprimorar o equilíbrio da vida familiar e da profissional por meio da negociação ganha-ganha. Mas e se vocês não conseguirem? Se conquistar o equilíbrio é um desafio – ou se simplesmente desejam aprofundar mais seus esforços para construir uma base equilibrada para o seu grupo de três –, examinar seus valores familiares deve ajudar.

Muitos de nossos valores se originam de nossa primeira família ou da cultura em que nos desenvolvemos, incorporados quase sempre de modo inconsciente. Já adultos, podemos nem mesmo perceber alguns deles; tudo o que sabemos é que temos fortes sentimentos sobre como atuam no dia a dia. Isso se intensifica em um relacionamento se também não conhecermos todos os valores de nosso parceiro.

Apesar de ambos trabalharem em período integral, um casal que chamarei de Mia e Remy não conseguiu encontrar uma maneira de reduzir os gastos para matricular o filho em uma pré-escola diferente, algo que ambos queriam. Eles já discordavam sobre isso havia um tempo quando Mia percebeu um valor absurdo no extrato bancário.

– O que é *isso*?!

– Esse é o meu cartão de crédito black! – Remy respondeu já na defensiva.

– Você tem noção de como essa taxa anual de 5 mil dólares ajudaria na pré-escola?

Remy não tinha condições de negar, mas não via nenhuma possível solução ganha-ganha.

– Vou parecer um zé-ninguém se não puder exibir meu cartão black quando estiver com clientes! – Ele lamentou.

Mia, que pensava conhecer o parceiro, surpreendeu-se.

– Amor, você não é um zé-ninguém! É o melhor pai, o melhor parceiro, o melhor representante de vendas!

)}{(

Essa situação desencadeou uma revelação para o casal. Enquanto ambos exploravam os valores subjacentes aos respectivos cargos, ficou claro que aquilo que Remy considerava um símbolo de *status* essencial para seu trabalho, Mia encarava como uma despesa familiar desnecessária. Os dois carregavam valores que assimilaram ao crescer. Nesse caso, Remy concordou que economizar dinheiro era um valor importante para sua nova família, sobretudo em razão das incertezas econômicas mundiais. A partir daquele dia, ele e Mia conversam sobre o que desejam considerar valores familiares.

Quando você me ouvir enfatizar a expressão *valores familiares*, talvez estremeça com pensamentos desconfortáveis sobre os chamados valores familiares tradicionais: a família nuclear é a única estrutura valorizada; as mulheres ficam em casa, e os homens trazem o pão de cada dia. E é verdade: a expressão tem sido politizada e usada para excluir algumas pessoas e também algumas formas de convivência. Eu gostaria que a recuperássemos. Em vez de usá-la para valorizar uma estrutura familiar em detrimento de outra, devemos empregá-la como referência ao conjunto de valores que alinha sua família de três pessoas, não importa como seja constituída.

No Capítulo 5, abordamos questões relacionadas à valorização das necessidades individuais e como parceiros. Aqui, vamos nos aprofundar para esclarecer não apenas as necessidades que você valoriza, mas também os valores essenciais que mantêm sua família unida e corroboram a bolha de casal. Alguns deles podem se sobrepor ao que você considera necessidades, enquanto outros podem ser mais amplamente definidos como crenças, princípios ou padrões. Os valores familiares habituais incluem muitas coisas:

- Trabalho duro e êxito financeiro.
- Formação contínua.
- Boa saúde física e mental.
- Tempo juntos como uma família ou com os filhos.
- Tempo sozinho para você mesmo ou para o casal.
- Rede de amigos.
- Ampliação da família.
- Viagens.
- Natureza.
- Religião ou espiritualidade.
- Lealdade.
- Honestidade.

- Integridade.
- Receptividade.
- O próprio equilíbrio pode ser um valor!

Observe que alguns desses valores listados podem pressupor o privilégio que lhe permite até mesmo refletir sobre eles. Por exemplo, viagens longas talvez não sejam viáveis em função da idade do seu filho ou de uma pandemia; a escolha da escola da criança pode ser motivada por questões financeiras. Caso sinta que alguma coisa valorizada por você está fora de alcance agora, aprofunde-se na reflexão e pergunte o que especificamente você valoriza em um determinado item. Por exemplo, no caso de viagens, talvez aprecie variadas experiências culturais. No caso da escolha da escola, talvez valorize a formação contínua. Use esses valores mais profundos para refinar sua lista.

DESCOBERTA E REIVINDICAÇÃO DE VALORES

Faça este exercício sozinho ou com seu parceiro.

1. Em um momento de tranquilidade, pergunte-se:
   - Para mim, o que é importante na criação de um filho? Ser parceiro? Ser uma pessoa no mundo?
   - De onde advêm esses valores?
   - Quero mantê-los ou quero reconsiderar algum deles?
2. Dos valores que você identificou na etapa 1, escolha 5 que considera os valores familiares essenciais. Para cada um deles, responda às seguintes perguntas:
   - Meu parceiro e eu compartilhamos esse valor familiar?
   - Nós o escolhemos conscientemente?
   - Este valor corrobora nossa bolha de casal como uma família?
   - Nós nos orgulhamos desse valor?
   - Agimos de modo coerente com base nesse valor em nossa família?

Se você e seu parceiro fizerem este exercício juntos, talvez queiram rever o acordo de casal abordado no Capítulo 3 e certificar-se de que ele reflete seus valores familiares de todas as maneiras que gostariam.

O que dificulta a aplicação deste princípio?

Criar equilíbrio às vezes se assemelha à tentativa de atingir um alvo em movimento. Vez ou outra você poderá sentir-se desequilibrado de alguma forma em algum momento, o que o forçará, junto ao seu parceiro, a uma jornada para encontrar o equilíbrio. Ao tentar determinar seus valores familiares como parte dessa jornada, é bem possível que encontre como obstáculo a narrativa cultural acerca dos valores familiares tradicionais, sobretudo se a sua família não for tradicional. Outro desafio que pode comprometer a busca do equilíbrio se refere à persistente desigualdade entre mulheres e homens no ambiente de trabalho. Vamos examinar esses tópicos e algumas soluções.

Valores familiares estão obsoletos

"Primeiro vem o casamento, depois vem o bebê em um carrinho de bebê." "A guerra das mãezinhas: ou você é uma boa mãe que fica em casa ou uma boa feminista que trabalha fora." "Os filhos precisam ser criados por uma mãe e um pai; duas mães ou dois pais é perigoso."

Embora sabendo que os valores familiares de que estou falando não se limitam aos tradicionais, você ainda pode se sentir relutante. Por muito tempo, a cultura dominante o norteou a pensar que os valores de uma família não tradicional são de alguma forma diferentes ou inferiores aos de outras famílias. Estou aqui para dizer que não! *Todas* as famílias podem reivindicar seus valores e permitir que eles as guiem para proclamar as próprias trajetórias.

"Valores familiares" não é a primeira expressão cooptada que precisa ser resgatada em nossa cultura, e tenho certeza de que não será a última. Por exemplo, a palavra "saudável" era tradicionalmente usada para estimular a castidade, e as mulheres que esperavam até o casamento para fazer sexo eram chamadas de "saudáveis". Isso virou uma arma contra elas, pois recorria à sexualidade para mantê-las no devido lugar. Mais recentemente, uma campanha publicitária ajudou a mudar esse roteiro, usando "saudável" para se referir a famílias minoritárias, mistas e LGBTQIA+. Como resultado, "saudável" incorporou um significado inclusivo em nossa cultura.

Nesse sentido, o que fazer? A melhor maneira de combater os velhos estereótipos em torno dos valores familiares é pela demonstração de seus próprios valores, chamando-os com orgulho de valores familiares. Você e seu parceiro podem ajudar a reivindicar o termo simplesmente o usando e sendo inclusivos. Converse com amigos e familiares sobre os valores familiares que lhe são importantes e pergunte sobre os deles. Esperançosamente, com todos os nossos esforços, chegaremos ao *zeitgeist*[8] cultural de uma maneira nova e radical.

Punição pela maternidade

Sejamos diretos: a misoginia e o sexismo estão vivos e bem presentes no ambiente de trabalho. Algumas pessoas gostam de focar no progresso que tem sido feito, mas a verdade é incontestável: as desigualdades de gênero persistem; as mulheres ainda ganham menos do que os homens. As estatísticas do Departamento do Censo dos Estados Unidos mostram que as mulheres brancas ganham 82 centavos de dólar em comparação com os homens. As mulheres negras, ainda menos, um valor tão baixo quanto os 54 centavos das latinas. Essas disparidades são alimentadas pela misoginia e pela discriminação, latentes ou explícitas, ou ambas.

Como isso está relacionado ao seu bebê-bomba? Acontece que ele desempenha um papel significativo no que denominaram *punição pela maternidade*. Pesquisas do Departamento do Censo dos Estados Unidos mostram que se tornar parental aumenta as desigualdades salariais de gênero. Um ano depois da chegada do bebê-bomba, a disparidade salarial entre parceiros em relacionamentos heterossexuais dobra. As mães que trabalham

---

[8] A expressão se refere ao conjunto do clima intelectual e cultural do mundo, numa certa época, ou às características genéricas de um determinado período. (N.T.)

fora ganham apenas 71 centavos para cada dólar pago aos pais na mesma situação. Além disso, como muitas mães assumem a parte do leão das responsabilidades com as tarefas domésticas e os cuidados com os filhos, a falta de escolinhas acessíveis dificulta mais o trabalho das mães do que o dos pais.

O que se inicia como um desequilíbrio no ambiente de trabalho pode se traduzir em um desequilíbrio em casa. O fato de um parceiro ganhar menos ou ter de trabalhar mais pesado pelo mesmo salário, talvez comprometa o relacionamento. Além disso, a situação também destaca a necessidade crucial de alguém cuidar das crianças para melhor equilibrar a vida familiar e a profissional. Infelizmente, nossa sociedade não fornece creches e escolinhas, e muitos pais lutam para arcar com os gastos de um local[9].

Nesse sentido, o que se pode fazer? Se você se interessa pelas questões relacionadas às desigualdades de gênero no ambiente de trabalho, considere incrementar seu ativismo e apoiar aqueles que planejam mudar as políticas públicas sobre licença-parental e creches de qualidade e acessíveis. Se você está em um relacionamento heterossexual, fique atento às maneiras sutis e não tão sutis pelas quais as desigualdades mundiais se infiltram na vida do casal. Ambos são responsáveis pela avaliação contínua no lar, para que valorizem igualmente o trabalho um do outro – mesmo que a sociedade não o faça –, e certifique-se de que o patriarcalismo não enfraqueça sua parceria. Nas palavras de Ruth Bader Ginsburg, "As mulheres só terão alcançado a verdadeira igualdade quando os homens compartilharem com elas a responsabilidade de criar a próxima geração".

No entanto, precisamos reconhecer que creches e outros sistemas de apoio nem sempre estarão disponíveis. Talvez sua renda não lhe permita contratar uma babá quando deseja algum tempo livre dos filhos para manter o equilíbrio. Ou talvez a aldeia que você criou não esteja disponível por motivos alheios à vontade de alguém. Mas, mesmo quando não houver ninguém para lhe dar uma ajuda, não desista do equilíbrio. O caminho está em aprender a criá-lo de maneiras inovadoras.

---

9 Pensando na realidade brasileira, embora tenhamos um número mais robusto de creches e escolas públicas, nem sempre há vagas para todos, por isso o exemplo também se aplica ao nosso cenário, uma vez que muitos pais precisam arcar com gastos de uma escola particular ou até mesmo com os custos do transporte até a localidade que possui vaga. (N. E.)

O que isso parece? Para mim, como já citei, parecia um brinquedo de pelúcia, uma cobra rosa pendurada no meu pescoço. Mas o problema não era apenas a cobra. Quando a pandemia nos atingiu, Charlie e eu pensamos juntos em como enfrentar esse novo desafio e equilibrar nossas vidas. Ele tinha um projeto com um prazo urgente de entrega, então concordamos que eu usaria meu horário de trabalho para ver os clientes e postergaria outros compromissos para cuidar de Jude, enquanto Charlie finalizava o projeto. Nós dois precisamos fazer sacrifícios e não conseguimos conquistar o nível de equilíbrio que nos agrada. Mesmo assim, foi uma situação ganha-ganha, e também garantimos que eu não sofreria a punição pela maternidade em nosso casamento.

Quando você e seu parceiro se veem diante de opções limitadas de creches, negocie uma situação ganha-ganha. Discuta o que cada um está disposto a sacrificar e por quanto tempo. Desde que vocês façam isso como uma equipe, o ganha-ganha será real. Seu trabalho em equipe se torna a almofada que abrandará o sacrifício.

Conclusão

A capacidade de criar equilíbrio constitui um elemento essencial para a bolha de casal de sua família de três. Em especial se você estiver enfrentando responsabilidades conflitantes entre família e trabalho, questionando-se quando começar sua carreira profissional ou retornar ao trabalho, ou lutando para manter um senso de equilíbrio precário, faça um *check-in* individual e com seu parceiro para avaliar o equilíbrio na vida dos dois. E mais, também converse com seu parceiro regularmente para ajustar quaisquer desequilíbrios e negociar soluções ganha-ganha. E vá mais fundo identificando os valores familiares e comprometendo-se com eles, pois solidificam seu alicerce de bolha de casal.

Uma área do relacionamento do casal que se desequilibra com facilidade conforme ocorre a adaptação ao bebê-bomba é o sexo. No próximo capítulo, veremos as incontáveis mudanças que podem ocorrer na atividade e no desejo sexuais quando o bebê chega. Você conhecerá maneiras de manter o romantismo vivo diante desses desafios.

capítulo 8

ENCONTRE UMA NOVA FONTE DE SEXUALIDADE

Uma tarde, alguns meses depois que Jude nasceu, Charlie se aproximou de mim em nosso quarto, depois que coloquei o bebê para tirar uma soneca, querendo sexo pela primeira vez desde que nos tornáramos pais.

Fiquei chocada. Lá estávamos nós em nosso quarto, lugar onde tivéramos intimidade inúmeras vezes antes, mas a ideia de fazer sexo me soava completamente estranha. Pensei: *é mesmo, as pessoas fazem sexo. Eu costumava fazer sexo! E gostava!* Até aquele momento, nem sequer tinha me ocorrido sentir falta do sexo, muito menos sentir desejo. Era como se a válvula do desejo tivesse sido fechada em mim assim que me tornei mãe, e eu nem tinha percebido. Olhei para Charlie com cara de nada, cheia de surpresa. Corando levemente, com um quê de autoconsciência, falei:

– Não sei se estou disposta...

Fiz uma pausa para uma autoavaliação. Junto com choque e surpresa – e a percepção de que ainda não conseguia imaginar usar meu corpo para o meu próprio prazer –, também me senti agradecida pela disposição de Charlie em estender a mão. Ainda assim, estava claro para mim que apenas a sugestão de sexo bastava naquele momento, e disse:

– Agora não, mas obrigada por sugerir.

Restabelecer uma vida sexual saudável pós-bebê-bomba pode ser uma jornada. Naquele dia, Charlie e eu começamos a nossa. Foi, e continua a ser, o arco-íris completo de experiências – trancos e barrancos, constrangimentos, lágrimas de alegria, conexão emocional e tristeza. Encontrar tempo e espaço para o desejo florescer exigiu carinho, paciência e compreensão mútua. Eu não teria feito de outra forma, pois essa jornada conduziu nossa parceria a um novo nível de intimidade e confiança.

A sexualidade pode ser uma parte essencial da vida, uma forma sagrada de se comunicar e demonstrar amor por seu parceiro. Para a maioria dos casais, deitar e rolar como uma equipe significa ambos gostarem de uma vida sexual ativa. E no seu caso, precisam definir o sentido de *ativa* para vocês. Cada casal é diferente em termos de frequência de sexo, tempo e conceito de intimidade, e assim por diante. Não existe uma vida sexual "certa". Existe apenas aquela de que os dois gostam.

Talvez você tenha notado que a vida sem sexo depois do bebê-bomba pode se transformar em um inverno interminável. O princípio norteador deste capítulo ajuda vocês a trilharem o caminho de volta à primavera enquanto recuperam o romantismo e a conexão íntima. Em razão de mães que tiveram bebês há pouco tempo passarem por transformações físicas e psicológicas tão dramáticas, enfatizo a experiência delas. No entanto, todos encontrarão apoio aqui – aqueles que adotam, os do mesmo sexo que recorrem à barriga de aluguel, mães em relacionamentos do mesmo sexo que não pariram, papais em relacionamentos heterossexuais.

Começamos com uma discussão sobre os problemas físicos com potencial para afetar o sexo, incluindo alterações hormonais, recuperação pós-parto e fadiga. Então nos voltamos para a conexão sexual segundo uma lente psicológica, examinando não apenas como você vê seu corpo impactar na intimidade sexual, mas também o que acontece nas mentes – sua e de seu parceiro – quando o romantismo desaparece no início da parentalidade.

PRINCÍPIO NORTEADOR 8: *você e seu parceiro redefinem romantismo para manter viva a conexão do casal*

Em geral, embora nem sempre, o prazer sexual é o responsável pela entrada dos bebês em nossas vidas. No entanto, fazer e desfrutar sexo depois da chegada do bebê-bomba envolve uma realidade na qual a maioria dos casais precisa trabalhar – ou, pelo menos, pensar a respeito – para ter sucesso em reinserir o sexo na parceria. E por quê? As mulheres grávidas, ou que acabaram de ter um filho, passam por significativas mudanças físicas e psicológicas durante a gravidez e no início da vida pós-parto. Além disso, os parceiros não parturientes vivenciam as consequências da falta de sono, as próprias mudanças de identidade, medos (ou realidade) de serem reiteradamente rejeitados ao iniciar a intimidade e esforços para encontrar tempo e energia para o sexo. Todo esse contexto tem um preço. Em um estudo sobre mães de primeira viagem irlandesas feito por Deirdre O'Malley e colaboradores, quase metade relatou falta de interesse na atividade sexual até seis meses após o parto, e a porcentagem não era muito menor em um ano.

É fácil ver como o sexo pode ser relegado a um segundo plano quando tantas outras coisas estão acontecendo na vida do casal. Mas é bem possível que o manter em banho-maria se torne problemático tanto para o seu bem-estar como para a parceria. Uma solução está na conquista de uma nova perspectiva de como vocês veem o romantismo. Antes do bebê-bomba, romantismo podia significar pegar uma garrafa de um bom vinho, desligar seus dispositivos e se divertir entre os lençóis. No entanto, esse conjunto de coisas não faz mais parte da sua realidade diária. Portanto, o casal precisa redefinir romantismo de modo que se conecte íntima, emocional, sensual e solidariamente um com o outro no estado em que se encontram no momento presente. Como assim? Uma mãe recente que conheço compreendeu isso ao dizer ao parceiro: "A coisa mais romântica que você poderia fazer por mim agora é... cuidar da lavagem da roupa". Talvez você ria, mas ela estava sendo sincera. E para mérito dele, a parceira entendeu que os dois precisavam de novas maneiras de se conectarem.

Este princípio norteador pede a redefinição de romantismo para vocês incluírem o que quer que seja que lhes traga conexão. Vejamos primeiro o impacto físico de um bebê-bomba para mães que deram à luz há pouco tempo, e depois o impacto psicológico. Em cada seção, vamos focar no que podem fazer para regenerar Eros.

Impacto físico

Começando com a gravidez, ter um filho e cuidar de uma criança recém-nascida impacta nos corpos das mães. Mesmo que não perceba, algumas dessas experiências mudam você dramaticamente. Embora existam muitos tipos de impacto físico, destacamos três que podem causar mudanças radicais: hormônios, nascimento do bebê e fadiga.

A tempestade hormonal

Durante minha gravidez e no início da vida pós-parto, meus hormônios pareciam ondas gigantescas crescendo dentro de mim, maximizando qualquer sentimento. Quando estava feliz, ficava em êxtase; quando triste, arrasada; quando frustrada, explosiva.

No meu primeiro trimestre, dirigi até um santuário de lobos para falar com o diretor sobre um *workshop* que eu havia agendado ainda para aquele ano. O radioso sol da Califórnia do Sul e o céu azul me encheram de esperança e otimismo. Após a reunião com o diretor, durante um tempo com os lobos, eu me senti atraída por Maya, a matriarca da matilha. Quando ela se aproximou e acariciou suavemente minha barriga, intuí que o animal sabia que eu levava uma carona ali. Imaginei que Maya estava abençoando Jude com sua suprema sabedoria lupina. Chorei de felicidade todo o caminho de volta para casa, meu coração acelerado de alegria. Tenho tendência a grandes emoções, mas minha felicidade naquele dia parecia encharcada de hormônios.

Durante a gravidez, os níveis de estrogênio e progesterona se elevam; após o nascimento, esses hormônios são substituídos por um pico de oxitocina, e também de prolactina, hormônio que estimula a produção do leite e torna possível a amamentação. Depois do desmame, a prolactina desaparece, desencadeando outra alteração hormonal no corpo.

Todas as mães que dão à luz passam pelas mesmas alterações hormonais básicas, ainda que a reação em cada mulher seja diferente. Depois que Charlie insinuou fazer sexo naquela tarde, refleti sobre o porquê de minha ausência de desejo e identifiquei como responsáveis os hormônios. Para algumas mulheres, o desejo sexual aumenta com o hormônio da gravidez, enquanto para outras ele reduz. Depois do bebê-bomba, embora os hormônios demorem cerca de um mês para retornar aos níveis anteriores à gestação, o período para reacender o interesse pelo sexo varia. Em última análise, não importa como seus hormônios a afetam; o importante é que você e seu parceiro estejam cientes do impacto deles e que se ajudem a redefinir romantismo para o processo de conexão mútua.

Aqui vão algumas dicas para as mães que tiveram bebê recentemente:

- Perceba os hormônios. Está se sentindo como se não fosse você mesma? Sentir-se "desligada" ou "estranha" é uma pista de que algo talvez esteja acontecendo com os hormônios.
- Encontre um método próprio de surfar nas ondas dos hormônios. Pergunte-se: "De que tipo de apoio preciso agora?". Pode ser uma dose extra de amor e carinho do parceiro ou de uma amiga, ou apenas reservar um tempo para si mesma.
- Deixe a voz dos hormônios guiar como você vivencia o romantismo. Alguns dias talvez precise de aconchego, carinho e um ombro para chorar; em outros, uma luta de travesseiros liberará a tensão.
- Comunique-se de forma contínua sobre seus sentimentos para que seu parceiro esteja ciente e se torne uma fonte de apoio. Permita-lhe ser o aliado de que você precisa.

Aqui vão algumas dicas para os parceiros:

- Perceba que o corpo de sua parceira está passando por uma grande mudança interna. O fato de não conseguir ver algumas dessas mudanças não as torna menos significativas.
- Pergunte sempre como está sua parceira. Isso facilita o diálogo sobre todas as alterações internas à medida que ocorrem.
- Ouça sua parceira. Se ela está com dificuldades e chateada com algo que para você não é grande coisa, não se guie por seu julgamento.
- Descubra e crie novas maneiras de vivenciar conexão romântica.

O nascimento

Os partos por cesariana e naturais são eventos físicos intensos que podem ser traumáticos para o corpo da mãe. Lesões de parto são muito comuns, incluindo aquelas no assoalho pélvico (que podem ocorrer em ambos os tipos de parto), laceração dos tecidos vaginais ou episiotomias, desconforto e dor na cicatrização do corte da cesárea. Essas lesões podem afetar a vida sexual por algum tempo.

Acredito que a dificuldade para as mães pensarem em sexo novamente está no fato de a maioria de nós não dispor de um período de tempo em que a ocorrência do nascimento seja metabolizada e a recuperação ocorra de forma amorosa. Pense naquele primeiro infame retorno ao ginecologista após o parto. O meu abarcou apenas um fragmento de recuperação: uma avaliação de depressão pós-parto, um exame que revelou que já estava fisicamente pronta para sexo e atividades físicas, e uma conversa sobre que tipo de controle de natalidade planejava usar enquanto amamentava Jude. Esses três tópicos, ainda que importantes, não davam conta de todo o impacto que o nascimento teve sobre mim. Não se fala muito e nem se dá atenção ao impacto físico do parto, o que pode desencadear um efeito dominó sobre o desejo sexual.

Aqui estão algumas dicas para mães:

- Converse com seu médico, seu parceiro, amigos e família sobre como está o seu corpo. Considere participar de um grupo de mães.
- Conte a história do seu parto quantas vezes precisar. Isso ajudará que chegue a uma narrativa coesa e relevante para a cura emocional.
- Seja gentil com seu corpo durante a recuperação. Pegue leve com o trabalho físico. Tome banhos longos e passe algum tempo conectando-se com o corpo. Você pode melhorar o resultado desta prática ao perceber as próprias inspirações e expirações enquanto está na água.
- Se puder pagar, contrate profissionais especializados em recuperação pós-parto (fisioterapia, massagem, acupuntura).

Agora aqui estão algumas dicas para os parceiros:

- Reconheça que seu parceiro está se recuperando de um acontecimento fisicamente dramático. Não subestime o tempo e o espaço necessários para a recuperação completa.
- Pergunte sempre como seu parceiro está e escute com atenção.
- Apoie seu parceiro respeitando o tempo necessário para que se recupere fisicamente. Incentive-o ao autocuidado e, se preciso, busque apoio profissional.
- Assuma os cuidados com o bebê e as tarefas domésticas (e sim, lave a roupa).

Fadiga

Eu me senti absurdamente exausta quando Jude tinha seis meses. Precisei recorrer a toda a adrenalina e empolgação da maternidade recente para me empurrar pelos dias. Tudo o que me restava era um café forte combustível de foguete e minha esperança de que a situação passasse, para algum dia eu dormir mais novamente. Jude estava no meio de uma regressão de sono aos quatro meses, que começou por volta da época em que voltei ao trabalho, e eu acordava com ele a cada noventa minutos durante a noite. Sentia-me moída até os ossos. E o cansaço era cumulativo, a ponto de guardar meias na geladeira, esquecer o peito em que Jude havia mamado, vestir sutiã de amamentação e a parte inferior do maiô para a aula de natação de Jude. Até meu cabelo estava cansado.

O período inicial da maternidade é fisicamente exaustivo. As mães estão se recuperando do parto ao mesmo tempo que sofrem privação do sono. Os parceiros também ficam cansados. Um estudo envolvendo parentais alemães, feito por David Richter e colaboradores, relatou que eles levaram seis anos para uma recuperação completa da privação de sono e para sentirem que estavam tendo um sono satisfatório de novo. Seis anos! Não se sentir descansado reduz de fato o desejo sexual e a capacidade de desfrutar o sexo.

Aqui estão algumas dicas para mães:

- Aproveite para descansar quando puder. Aconselha-se que os parentais "durmam quando o bebê dorme", mas nem sempre é possível. Se notar a inviabilidade disso, ao menos descanse. Apenas deitar e fechar os olhos já é restaurador.
- Lembre-se de que essa é uma fase e que o sono está no horizonte.
- Redefina romantismo. Por exemplo, pense em seu parceiro dando-lhe a chance de um descanso de qualidade enquanto lhe entrega um buquê de rosas.
- Converse com seu parceiro sobre como assumir turnos com o bebê durante a noite. Mesmo que queira acordar para bombear leite por razões de suprimento, tente ter uma noite de folga.

Algumas dicas de recuperação para os parceiros:

- Aproveite para descansar quando puder – da parentalidade e do trabalho.
- Ofereça-se para ajudar durante a noite. Quando for sua noite, não acorde o parceiro para pedir ajuda, a menos que seja absolutamente necessário.
- Procure novas maneiras de criar romantismo com seu parceiro.

Impacto psicológico

Uma amiga descreveu uma vez as mudanças psicológicas no período inicial da maternidade como tão gigantescas que era como se tornar um novo gênero. Toda essa turbulência pode comprometer sua vida erótica. Nesta seção, consideramos os dois principais pontos de impacto: imagem corporal (ou seja, como se vê e se sente quanto à forma do seu corpo) e a perda prolongada da conexão romântica íntima à qual pode ser difícil retomar.

Tristeza pelas mudanças corporais

Iris examina seu armário, procurando roupas que a façam se sentir sexy. Enquanto vasculha os cabides, sentindo-se triste, diz, pegando um vestido de verão:
– Lembro quando arrasava com isto. Agora meus seios vão saltar por cima do decote. Isto é, se conseguir fechar o zíper. – E solta um grande suspiro.
Mark entra no quarto bem a tempo de ouvir Iris mencionar os seios saltando por sobre o decote.
– Ei, você está exatamente onde eu queria! – ele exclama, caminhando em direção a ela.
Iris nem mesmo o olha. Continua olhando para as roupas no armário.
– Acho que vou começar a ensacar algumas dessas roupas para doação. Não faz sentido que ocupem espaço se não posso usá-las.
– Claro – Mark diz enquanto coloca um braço em volta da cintura dela e aperta.
Iris se vira rapidamente para ele.
– O que você está fazendo? – pergunta, visivelmente irritada.
– Deus me livre de tentar abraçar a cintura de minha esposa!
– Dá um tempo, Mark. Não vê que não estou no clima?
Ele recua, ressentido.
– Você nunca está no clima! Katrina estará no jardim de infância antes de eu te ver nua de novo.
Iris o fita desgostosa.
– Você vem dar em cima de mim justo quando estou quase chorando por não caber em minhas roupas, e espera que me alegre com esta oportunidade para fazer sexo? Afinal, onde está Katrina?
– No berço. Não mude de assunto. Precisamos conversar sobre por que não estamos fazendo sexo. O toque é a minha linguagem do amor. Preciso dele.
Iris se arrepia com a pressão por sexo.
– Vou fazer sexo quando estiver pronta. Enquanto isso, por favor, não me toque desse jeito.
– Tudo bem. Nunca vou encostar em você de novo! – Mark sai furioso

Encontre uma nova fonte de sexualidade

e volta para o quarto de Katrina. Sorri quando a vê brincando no berço, mas sente-se triste. *Talvez ela não esteja mais a fim de mim*, ele pensa. *Talvez ela apenas não me ache atraente agora que sou pai.*

Enquanto isso, Iris está jogando metade das suas roupas na cama. *Não consigo imaginar como vou me sentir sexy novamente*, pensa. *Meu corpo está tão diferente agora. Espero que Mark entenda isso; me sinto tão sozinha.*

))((

Iris e Mark sentem que são os únicos no mundo que não se conectam sexualmente após o nascimento de sua filha. Iris se sente como a única mãe de um bebê pequeno com um corpo de que não gosta e nem entende mais. Mas esses dois não estão sozinhos. No caso em questão, a pesquisa que mencionei anteriormente sobre mães de primeira viagem irlandesas descobriu que estar insatisfeita com a própria imagem corporal foi um fator significativo subjacente à falta de interesse por sexo até um ano após o parto. Em outro estudo, Elise Riquin e colaboradores verificaram que as mães infelizes com sua aparência física tinham quatro vezes mais probabilidade de sofrer depressão pós-parto do que outras mães.

Se está lutando para se sentir confortável com seu corpo, entenda que não há nada de errado com você. Esse sentimento é comum, e há maneiras de mudar sua imagem corporal. Um ponto a ser retomado diz respeito ao que conhecemos da teoria do apego. Como vimos no Capítulo 1, as pessoas no campo de segurança amarelo do *continuum* de apego tendem a se sentir confortáveis consigo mesmas, inclusive com a própria imagem corporal. Pessoas azuis e vermelhas tendem a se sentir menos confortáveis, e as dramáticas mudanças físicas da gravidez podem acentuar esse desconforto. Além disso, seja qual for a sua cor, lembre-se de que importantes acontecimentos são capazes de movê-lo no *continuum*. Mesmo se estivesse no amarelo antes, o nascimento de sua criança pode empurrá-la para o vermelho ou azul, e despertar sentimentos de vergonha e antipatia por seu corpo.

O primeiro passo para melhorar a imagem corporal está em entender que o nível de conforto com o corpo é um produto da capacidade de bolha de casal. Não tem nada a ver com a forma ou a dimensão do corpo, e decisões de alterá-lo nesse sentido devem ser baseadas na saúde, não na imagem. A questão não envolve ter o corpo "perfeito"; isso não existe, e tentar criar um não a fará sentir-se bem em sua própria pele. Inexiste essa coisa de um corpo amarelo seguro. O amarelo abarca a segurança que vem da aceitação do corpo como ele é. Praticar essa aceitação a faz deslocar-se em direção ao amarelo no *continuum*.

O segundo passo é usar sua equipe de bolha de casal para consolidar a aceitação da imagem corporal. O parceiro pode apoiá-la em uma maior aceitação. Vamos ver Iris e Mark no faça-outra-vez.

Agora, Iris examina seu armário em busca de roupas com as quais se sinta sexy e puxa o vestido de verão.

– Lembro quando arrasava com isto. Agora meus seios vão saltar por cima do decote – diz.

Mark entra no quarto e pega Iris falando sozinha.

– Ei, amor, você já está arrasando nessa roupa! – exclama, caminhando em direção a ela.

Iris o olha e ri.

– Que bom que você pensa assim.

– Caramba, você é sexy e sempre será. De qualquer forma, para mim! – Mark retruca. Então percebe que Iris não está mais rindo. Os olhos dela parecem lacrimejantes enquanto fita o vestido. Ele coloca a mão suavemente na cintura de Iris e diz: – Como está se sentindo, amor?

Ela se afasta dele e se joga na cama.

– Sinceramente? Frustrada com meu corpo. Frustrada por estar demorando tanto para voltar ao normal, se é que o normal ainda existe. Talvez deva doar essas roupas velhas para a caridade.

– É verdade. – Mark se senta na cama a alguns metros de Iris, sentindo que ela precisa de um pouco de distância física enquanto processa os sentimentos sobre o próprio corpo.

Iris sente o apoio de Mark. Se ele tivesse insistido que ela ficasse com as roupas, soaria como pressão para fazer com seu corpo o que ainda não pode.

– É mesmo – ela concorda. – Pelo menos algumas.

– Abra um pouco mais de espaço para suas roupas sensuais de mamãe – diz Mark, olhos sorrindo encorajadores enquanto ela puxa a alça do macacão.

Encontre uma nova fonte de sexualidade

– Obrigada, amor. Preciso de sua ajuda. Não ficarei brava se me disser todos os dias como sou megassexy – diz Iris, sorrindo também. Ela pega o vestido de verão e o dobra. – Acho que vou doar isto em homenagem a Katrina. Meu corpo não seria como agora se não fosse por nossa filha querida.

RECONEXÃO COM O EU ERÓTICO

As três primeiras etapas deste exercício são especificamente para mães que acabaram de ter bebê fazerem sozinhas, mas ambos os parceiros podem concluir todas as quatro etapas. A imagem corporal não afeta apenas um gênero sexual; com frequência, ambos os parceiros precisam superar dolorosos problemas de imagem corporal. Como a jornada rumo à aceitação do corpo está em andamento, sugiro tornar este exercício uma prática regular.

1. Passe algum tempo olhando-se nua no espelho. Olhe para si mesma da cabeça aos pés. Talvez existam áreas de seu corpo que hesita olhar ou não quer olhar de jeito nenhum. Tente olhá-las. Aprecie visualmente seu corpo inteiro.
2. Pegue suas anotações e registre todos os pensamentos, imagens e palavras aleatórias que lhe vieram à mente enquanto olhava o próprio corpo. Faça isso em um estilo de associação livre. Em seguida, registre o que pensa sobre as seguintes questões:
    - Como vejo meu corpo?
    - Como penso sobre meu corpo?
    - Como me sinto em relação ao meu corpo?
    - Como ajo com meu parceiro como resultado disso?
3. Seja grata. Seu corpo já passou por muita coisa. Termine sua sessão de anotações listando as coisas pelas quais você é grata ao seu corpo.
4. Chame seu parceiro para um jogo de "O que eu amo no seu corpo". Sentem-se frente a frente e se revezem escolhendo uma parte do corpo do outro e dizendo o que amam nela. Pode ser algo do tipo "Amo como seus ombros...", ou "O que amo em seus seios é...", ou "Amo seus olhos pois...",

ou "Amo as sardas...". Veja se conseguem a redefinição do romantismo, parte por parte do corpo.

Romantismo melancólico

Se faz muito tempo que você e seu parceiro não têm prazer com sexo ou erotismo, podem ter caído em uma rotina romântica. Mesmo que achem que estão prontos para acabar o longo inverno, não basta estalarem os dedos e dizerem: "Agora é primavera; vamos começar a fazer sexo de novo". Muitas vezes, parceiros que não tiveram intimidade um com o outro por um longo tempo constroem barreiras psicológicas que tornam mais difícil reacender o romantismo. Vimos isso com Mark e Iris. Quando ele ameaçou: "Nunca vou encostar em você de novo", estava sinalizando a Iris que havia perdido a confiança na capacidade deles de se conectarem intimamente. Iris confirmou sentimentos semelhantes quando pensou: *sinto-me tão sozinha*. Discutimos como esse casal poderia começar a dissolver a imagem corporal triste que Iris tem de si, mas, na realidade, eles precisariam também abordar o tédio em seu romance.

Como a tristeza da imagem corporal, a melancolia no romantismo surge da incapacidade de ser uma equipe de bolha de casal durante a transição tumultuosa para o mundo parental. A mente é capaz de tecer histórias convincentes, responsáveis por manter você e seu parceiro em um inverno rigoroso. Como Mark, sua história pode ser alguma coisa do tipo: *ela não acha que eu seja sexy como pai. Se tocá-la novamente, ela vai me rejeitar; nem vou tentar.* Ou pode ser como Iris: *não sou mais desejável. Isso é o que é ser mãe. Então, vou esquecer o sexo, porque perdi mesmo essa parte de mim.* Se a sua história e a do seu parceiro se reforçam, então desmantelar a narrativa pode ser ainda mais desafiador.

Muitos fatores podem nutrir sua narrativa. Por exemplo, talvez seja intimidador iniciar o sexo se foi rejeitado várias vezes. Ou você pode se sentir vulnerável compartilhando um corpo que quase não sente mais como sendo seu em razão de todas as mudanças pelas quais passou. Ou a falta de prática pode fazer com que você e seu parceiro se sintam tímidos.

A melhor maneira de sair da melancolia romântica varia de casal para casal. Cada um dos três exercícios a seguir tem um foco diferente. Sinta-se à vontade para experimentar qualquer um ou todos, dependendo do que lhe pareçam.

SEXO TODOS OS DIAS

Às vezes, mesmo que haja muita coisa acontecendo, acho que não pensar demais e apenas dar as boas-vindas à primavera pode funcionar para casais. Vocês podem tirar a pressão por retomarem a intimidade romântica firmando um acordo de fazer sexo todos os dias por um período de tempo. Se você e seu parceiro estiverem dispostos, concordarem em ficar nus entre os lençóis todos os dias talvez possa eliminar a incerteza e a ansiedade do desempenho.

1. Discuta os termos do acordo. Por quanto tempo estão se comprometendo com o sexo? Pode ser todos os dias durante uma semana, duas semanas, dez dias, um mês, ou o que vocês acharem viável.
2. Discuta também o que "conta" como sexo: esperam ter relações sexuais todos os dias ou em alguns dias só ficarem nus e trocarem carícias também conta?
3. Discutam como vão lidar com isso se um dos dois não estiver a fim por qualquer motivo. Decidam se vão querer acrescentar um dia ao experimento ou simplesmente pular esse dia.
4. Concordem que ambos serão responsáveis por iniciar o sexo. Cabe a ambos a manutenção do acordo.

SEXO AGENDADO

Um desafio ao tentar reacender o romantismo é a logística agora que o bebê está aqui. Lembram-se de quando podiam se olhar e fazer sexo na cozinha? Ou no sofá? Ou no carro? Essa liberdade foi parar no espelho retrovisor. Então, em vez de esperarem vinte anos para terem a casa exclusiva aos dois de novo, considerem este exercício: sexo agendado.

Tentem, antes de rejeitá-lo como muito mecânico ou não espontâneo. Muitos casais descobrem que agendar o sexo é um afrodisíaco. Um casal que conheço começa trocando mensagens de texto enquanto ambos estão no trabalho. Um vai sugerir um horário para o sexo, e os dois se divertem construindo emoções ao longo do dia até o acontecimento principal. Eles dizem que, de certa forma, o sexo é melhor do que antes do bebê-bomba, porque agora o dia todo de expectativa traz ótimas recompensas.

HISTÓRIAS COLABORATIVAS

E se você e seu parceiro não estiverem prontos para fazer sexo todos os dias ou agendá-lo? As histórias que andam contando a si mesmos sobre por que não estão fazendo sexo, ou por que o parceiro não acha você sexy, podem ter criado raízes um pouco firmes demais para serem abandonadas sem maior consideração. Se for esse o caso, recomendo um exercício baseado em uma técnica que Stan usa para ajudar os casais a caminharem para a bolha de casal no relacionamento.

Você e seu parceiro podem fazer esta atividade como um jogo. A ideia é que comecem ouvindo as histórias um do outro e, em seguida, elaborem uma história colaborativa.

1. Encontrem um horário tranquilo para se sentarem juntos. Primeiramente se revezem contando um ao outro sua história atual com relação ao sexo – incluindo quaisquer medos relacionados à rejeição, à ansiedade de desempenho, à falta de sensualidade e assim por diante. Para terem sucesso, (a) sejam totalmente abertos e sinceros ao contar suas histórias, e (b) ouçam sem julgar a história do parceiro.
2. Ouçam sem julgar. Pode ser tentador corrigir seu parceiro nesse ponto ("Mas você é sexy!"; "Nunca quis rejeitá-lo!"). Deixem que o outro conte sua história sem interferir. Apenas ouçam as histórias recíprocas e percebam em que aspectos são semelhantes ou diferentes.

3. Agora contem um ao outro uma segunda história: descrevam o que querem para o seu relacionamento sexual. Pode ser tão picante quanto desejarem.
4. Comparem as segundas histórias. Quão colaborativas são? Podem levá-las para o quarto?

O que dificulta a aplicação deste princípio?

Redefinir o romance para avivar a conexão do casal depois do bebê-bomba demanda um bom trabalho. Mesmo que seja agradável, é possível que encontrem muitos obstáculos. Um deles, e muito importante, é a cultura da dieta e todas as suas mensagens adversas. Outro é o fenômeno do *toque exagerado*. Vamos examinar um pouco mais de perto esses problemas e encontrar algumas soluções.

A cultura da dieta é constrangedora

"O que fazer com aquela barriguinha de mãe?"; "Dez maneiras de conquistar o jeito sexy pré-bebê de volta!"; "Maneiras reais de perder peso durante a amamentação."; "Reduza o peso e seja uma mãe feliz!".

A cultura da dieta é um sistema de crenças insidioso que enfatiza o valor da magreza sobre a saúde e o bem-estar emocional. A indústria de dietas mira as mulheres desde tenra idade com a mensagem de que a magreza é a chave para a beleza, a felicidade e a sexualidade. Isso foi martelado na sua mente, tornando complicado, na gravidez, que se sinta bem em comer alimentos nutritivos para você e o bebê. Após o nascimento, talvez você sinta constrangimento ao olhar para o espelho ou o para o ponteiro na balança. Recentemente, ficou mais difícil identificar a cultura da dieta porque a palavra *dieta* caiu de moda. Agora se ouve sobre "comer limpo", "superalimentos" e alimentos "ruins" ou "tóxicos". Mas não se deixe enganar, a mensagem é a mesma: seu corpo pós-parto é um problema que você precisa corrigir – pronto. Claro, se está motivada em mudar sua forma, mais poder para você; só não aja desse modo em virtude da pressão das mensagens culturais. Felizmente, existem maneiras de combatê-las.

Rejeite a pressão da cultura da dieta. Faça um esforço para identificar as mensagens que chegam até você por meio da mídia e da sua própria mente. Elas estão vendendo gato por lebre. Se for preciso, fique com raiva para rejeitá-las. Em vez de um grupo de apoio de "vigilantes do peso", forme com outras mães um grupo de apoio para lutar contra a pressão social por fazer dieta.

Respeite a fome e a plenitude do seu corpo. Ouça a sabedoria do seu corpo. Ele sabe os alimentos necessários para manter você (e seu bebê) nutrido. Se o corpo diz que está com fome, alimente-o. E deixe-o dizer o que ele quer comer. Ouça quando lhe diz que está satisfeito. Se você tem o hábito de ouvir as mensagens da cultura da dieta, talvez precise de um tempo de treino para escutar essas mensagens mais intuitivas. A princípio, é possível que não ouça algumas delas. Mas não se preocupe, alguns erros não comprometerão sua saúde. Continue praticando "comer com atenção plena" e trabalhando em uma mudança gradual, mas duradoura, em seu comportamento em relação à comida.

Você está se sentindo exageradamente tocada

O toque é uma coisa linda. Mark não estava falando nada intrinsicamente errado quando disse a Iris que o toque era a sua linguagem de amor e que precisava disso. Mas às vezes podemos receber uma coisa boa em exagero. Algumas mães recentes, em especial as que estão amamentando, sentem o que é conhecido como *toque exagerado* ou *aversão ao toque*. Com seu bebê (e crianças) tocando constantemente seu corpo, sua pele pede socorro: "Pare!". Acrescente-se a isso o parceiro tocando você para reacender a intimidade, e aí pode aflorar uma mãe com aversão ao toque.

Não é apenas o toque físico constante que cria a sobrecarga; é a carência do bebê que induz a isso. Os recém-nascidos são completamente dependentes, e os pais (em especial as mães que amamentam) ficam de plantão 24 horas por dia, 7 dias por semana. Não conseguem um tempo de tranquilidade em que seja possível se desligar totalmente. Assim que o bebê começa a choramingar, vocês são exigidos. A demanda em um ciclo interminável cria um efeito cumulativo, semelhante à privação de sono, de tal modo que a última coisa que deseja é sentir que o parceiro precisa de você, seja como for, mesmo que sua necessidade como casal seja de mais conexão e romantismo.

Aqui estão duas maneiras de ajudá-los a superar o problema.

Crie novos limites. Saber que você tem alguma soberania sobre o seu espaço físico e emocional pode ajudar muito a superar a sensação de aversão ao toque. Sugiro-lhe que firme um acordo com seu parceiro visando a ter um espaço físico só seu por pelo menos quinze minutos diários, desde o início da vida pós-parto. Pode ser saindo de casa ou ficando sozinha em uma sala, ou de outra maneira qualquer que funcione para vocês dois. Quebrar as amarras tanto do bebê quanto do parceiro, mesmo que por um breve período diário, pode ajudar a superar a aversão ao toque e também pode ter efeito preventivo.

Equilibre o toque com a conversa. Uma mãe que acabou de ter um bebê e fica em casa relatou para mim a experiência de aversão ao toque. Se, ao chegar em casa, seu parceiro quisesse tocá-la, a mãe recuava diante do que sentia ser uma necessidade dele por ela. No entanto, eles descobriram que, se ela primeiro falasse sobre seu dia e contasse tudo ao parceiro, que atuava como um excelente caixa de ressonância, isso os ajudava como casal para que ela superasse a desconfortável sensação de ser tocada. Uma maneira de redefinir o romantismo quando sentir aversão ao toque é firmarem um acordo para que o parceiro esteja ao seu lado quando de fato você precisar. Vocês poderiam fazer isso nos encontros (como discutimos no Capítulo 6) ou em qualquer outro momento que seja bom para ambos. Seu parceiro pode ouvi-la ou abraçá-la, ou agir da maneira que você precisar, sem que haja necessidade, de sua parte, de retribuir qualquer coisa naquele momento.

Conclusão

Reenquadrar o romantismo para a vida após bebê-bomba é uma aventura constante. Começa na gravidez com alterações hormonais e outras mudanças físicas, mas atinge o ápice depois que o bebê chega. Navegar com sucesso por essas transformações por meio da redefinição do romantismo pode dar não só à sua sexualidade, mas também ao seu trabalho em equipe de bolha de casal, um novo amadurecimento e maior profundidade na conexão.

Outro aspecto de sua parceria, que muitas vezes precisa de um reinício, é a resolução de conflitos. Seu tempo e energia para se engajar em conflito são encaixados em um grupo de três, por isso é útil encontrar novas ferramentas para agilizar o processo de resolução de desentendimentos. No próximo capítulo, examinaremos maneiras de reparar qualquer dano que vocês tenham causado um ao outro e de conquistar o ganha-ganha.

capítulo 9

FAÇA UMA BRIGA JUSTA

– Ei, Carmen, precisamos conversar – diz Vince enquanto desce as escadas, carregando a filhinha Luna.

– Claro – concorda Carmen, tirando um bolo do forno. É a primeira vez que ela tem energia para cozinhar alguma coisa desde o parto. No entanto, fazer malabarismos com bebê e bolo foi uma tarefa mais difícil do que esperava, e precisou pedir a ajuda de Vince para cuidar da criança. – Só preciso ver se esse trequinho está pronto. Preciso de um segundo. Você vai adorar este bolo, Vince.

– Não estou com disposição para comer bolo.

– Como assim? Todo mundo adora bolo. – Carmen deixa a assadeira no balcão e caminha até Vince, mas com os olhos em Luna. – Você vai adorar este bolo – murmura.

– Eu disse que precisamos conversar – afirma Vince, a voz carregada de frustração.

– E aí? – Carmen pergunta de modo brusco, enquanto pega Luna, se acomoda, desabotoa a blusa e leva o bebê até o seio.

– Você disse que cuidaria da Luna para que eu fizesse um *brainstorming* sobre o projeto com Willis. Então, depois de quinze minutos, você me entregou Luna para terminar o seu bolo.

– Sim, para não correr o risco de machucá-la fazendo o bolo. Qual o problema?

Vince olha para Carmen e pensa: *como ela não vê o problema?*

– O problema – ele responde, elevando o tom de voz – é que foi constrangedor agendar aquela ligação e de repente cancelar porque precisava cuidar da Luna.

Ao ouvir o tom de voz de Vince, Carmen sente uma necessidade instintiva de se defender.

– Quero ver se entendi direito. Está chateado porque fiz um bolo para você?!

– Não! – Vince grita. – Estou chateado porque você não respeitou nosso acordo de que cuidaria da Luna enquanto eu estivesse naquela ligação!

Carmen passa Luna para o outro seio e tenta se lembrar do acordo. *Por que eu deveria me sentir culpada por pedir ajuda*, ela pensa, *se ele concordou em assumir mais responsabilidade pelos cuidados da Luna?*

– Não entendo – diz ela. – Cuido da Luna todos os dias, e então lhe peço que aja como um pai... e agora isso é um problema?

– Que mentira! Você não cuida da Luna todos os dias, o tempo todo! – Vince pontua as palavras batendo com a mão direita na palma da esquerda. – Além disso, está fugindo do assunto. Eu planejei essa ligação de acordo com o seu horário, mas, do nada, você decidiu fazer um bolo e rompeu nosso acordo.

Luna começa a se inquietar.

– Agora você perturbou a bebê – retruca Carmen. – Relaxe, Vince! Recebo ligações do trabalho o tempo todo quando ela precisa comer. Ontem eu estava no celular com a galeria, você não conseguiu acalmá-la, e então precisei amamentá-la enquanto terminava minha ligação.

– E por acaso eu tenho seios? Você não bombeou nenhum leite; o que eu deveria fazer?

– Descubra, Vince! Só estou dizendo que você não é o único que se sacrifica.

Vince gesticula em sinal de frustração.

– Pensei que conseguiria falar com você, mas acho que estava errado.

– Acho que eu estava errada pensando que você poderia ser pai meio a meio comigo!

Vince sai furioso de casa, sem se despedir. Carmen sente o coração acelerado e a respiração superficial. Ela está com raiva, cansada e desconcertada. E então pensa: *o que foi tudo isso? Rompi um acordo? Com o que concordei? Em assumir todo o cuidado com Luna?*

〉〉〈〈

Conflitos, brigas e desentendimentos são experiências relativamente comuns em parcerias de longa duração. Afinal, existem duas pessoas diferentes, complexas e humanas (leia-se: não perfeitas), com perspectivas singulares, mas igualmente importantes, que estão tentando viver em harmonia. Além do mais, cada uma delas veio de uma educação familiar que promoveu a incorporação de ideias bastante arraigadas sobre as maneiras certas e erradas de viver. E então você traz um bebê para a cena. O que poderia desencadear percalços? Com todo esse potencial quase pegando fogo, não se admira que muitas conversas saiam do controle, incendeiem-se e virem brigas.

Talvez você se surpreenda ao me ouvir dizer que a briga em si não é uma coisa negativa. Na verdade, existem brigas de dois tipos: negativas e positivas. As negativas são a que Carmen e Vince tipificam: batalhas dolorosas e frustrantes que não levam a lugar nenhum, a não ser mais brigas. Por sua vez, as positivas são justas, pois permitem que o casal coloque suas discordâncias na mesa e resolva em conjunto as pendências, de uma maneira que traga mais paz, colaboração e um senso mais profundo de bolha de casal à parceria.

Neste capítulo, você aprenderá como se tornar um *expert* em pedidos de desculpas completos para que seu parceiro se sinta visto e compreendido, e que a confiança de ambos no relacionamento seja renovada; aprenderá a cuidar das mágoas antes que causem danos permanentes. Também descrevo o significado da expressão "brigar por dois vitoriosos" e como encontrar a resolução de vitória dupla passo a passo.

PRINCÍPIO NORTEADOR 9: *você e seu parceiro brigam por dois vitoriosos*

O que se iniciou como uma proposta de Vince para um pedido de desculpas de Carmen escalou a toda velocidade para uma briga. Carmen não percebeu que parte do princípio da briga de dois vitoriosos é priorizar os cuidados do parceiro magoado. Existe uma razão psicobiológica para isso. Quando um parceiro se magoa, dispara um alarme na cabeça dele que sinaliza a presença de uma ameaça iminente. É importante que se reduza esse nível de ameaça antes da tentativa de fazer algum progresso. Ela também não percebeu que a solução não era ou... ou; não era uma escolha entre ela fazer um bolo e Vince falar com o colega.

Em *Wired for Love*, Stan descreve duas partes do cérebro: o cérebro beligerante e o cérebro amoroso. O beligerante (por exemplo, amígdala, hipotálamo e núcleo motor dorsal do vago), na qual nossos sinais de alarmes vivem, ele chama de "primitivos". Para desligá-los e interagirmos pacificamente rumo a soluções ganha-ganha, precisamos ativar o que ele chama de "embaixadores" (por exemplo, hipocampo, complexo vagal ventral, ínsula e córtex pré-frontal). Pense nessas partes do cérebro como suas naturezas inferior e superior. Os chamados primitivos operam por instinto, medo e autopreservação; eles se preocupam mais em ser o único vitorioso do que em encontrar um ganha-ganha e têm a função de salvaguardar você, não de construir relacionamentos seguros. Em contraste, os embaixadores são racionais e socialmente orientados, desencadeando não apenas sensações de empatia e de um temperamento calmo, mas também encontrando soluções lógicas e equitativas. Os embaixadores sabem como tirá-lo da confusão em que os primitivos o colocam.

Se você e seu parceiro quiserem virar *experts* em brigas justas, precisam aprender a engajar seus embaixadores. Com a ajuda deles, vocês deverão superar rapidamente qualquer mágoa e, então, barganhar uma resolução que resulte em dois vitoriosos. Esses dois conjuntos de habilidades orientados para o embaixador são um relacionamento de plena habilidade emocional. O primeiro fornece alívio, reparo e compreensão. O segundo garante que vocês dois se sintam satisfeitos, apreciados e empoderados, como indivíduos e como casal. Vamos examinar cada um mais de perto.

A superação da mágoa

Inevitavelmente, você vai magoar seu parceiro e vice-versa. Esse tipo de situação pode ser um desastre – como foi para Carmen e Vince –, ou pode ser uma parte natural do aprendizado e do amor. Não estou dizendo isso com a intenção de lhe dar um passe livre para sair e ser um babaca com seu parceiro; estou dizendo que, quanto mais você desenvolver sua capacidade de cometer erros e aprender com eles, mais fácil será para fazer reparos profundos e conciliadores em sua parceria.

Vejamos como as coisas se desenrolaram mal para Carmen e Vince. Quando ele estava fazendo uma proposta de reparo da situação, os primitivos de Carmen se impuseram com respostas defensivas e irresponsáveis. Por exemplo, quando ele disse que não estava com disposição para comer bolo (porque eles precisavam conversar), a resposta instintiva foi "Todo mundo adora bolo", ou seja, ela estava se defendendo sem sequer tentar ouvir Vince. Assim, assumiu o mantra "Qual o problema?" cada vez que ele tentava expressar seus sentimentos. Em vez de colocar os embaixadores on-line, ela deixou os primitivos assumirem o comando. E ambos fizeram o que os primitivos fariam na situação: mudar de assunto e evitar admitir que havia magoado o marido.

Muitos de nós nunca aprendemos como agir para uma reparação adequada, ou seja, que supere e perdoe as mágoas emocionais, não as deixando apodrecer de uma forma que destrua nossa sensação de segurança. Se ninguém em seu lar lhe ofereceu uma reparação autêntica quando você estava crescendo, como conseguiria oferecê-la a um parceiro agora? Na minha infância, o reparo me foi oferecido, mas soava como: "Me desculpe se te magoei... mas eu precisava gritar porque você não estava me ouvindo". O motivo de magoar alguém era a parte enfatizada. Como resultado, não ocorriam alívio e cura. Além disso, quando estamos cansados, depauperados ou com poucos recursos (pense no bebê-bomba), é mais fácil cometermos erros que podem gerar mágoas recíprocas. Vou mostrar a você como recorrer aos seus embaixadores para baixar a guarda e entender como magoou seu parceiro e, em seguida, usar essa cura para construir confiança e segurança entre o casal.

Aqui estão dicas para superar a mágoa com as cinco coisas de que se lembrar quando seu parceiro manifestar mágoa ou desconforto diante de alguma coisa que você disse ou fez:

Reparação rápida. O tempo é um fator essencial quando se trata de superar mágoas. A espera permite que os primitivos se entrincheirem e fica mais complicado para os embaixadores se engajarem. Quanto mais você espera, mais a mágoa se solidifica na memória de longo prazo e mais difícil será a reparação. Portanto, aproveite o momento e faça uma reparação rápida com seu parceiro.

Sem distrações. Largue seu trabalho ou desligue a televisão; limpe a área para focar em seu parceiro, sinalizando-lhe que ele é importante. Aí está o início do processo da reparação.

Desculpe-se por completo. Não basta pedir desculpas. O indispensável é que seja sincero e assuma a responsabilidade pelas atitudes que magoaram o parceiro, tenha agido de modo intencional ou não. Afinal, quase nunca os parceiros se magoam propositadamente. Aqui estão alguns exemplos de desculpas positivas e negativas.

Positivas	Negativas
"Desculpe-me."	"Desculpe-me, mas…"
"Lamento ter falado aquilo."	"Lamento que se sinta assim."
"Acredito em você."	"Esse é o seu ponto de vista, mas…"
"Meu comportamento magoou você"	"Não foi isso que eu quis dizer."
"Sei que magoei você. Desculpe."	"Se magoei você, desculpa."
"Vou trabalhar para mudar meu comportamento."	"Você é muito sensível."

Faça uma briga justa

Engaje-se na escuta ativa. Ouça para que possa aprender e entender como seu comportamento afetou o parceiro. A palavra "ativa" envolve refletir sobre o que você ouviu seu parceiro dizer. Isso permite (1) que você confirme que ouviu com precisão, ou mesmo que reveja sua reflexão se descobrir que não ouviu corretamente, e (2) que seu parceiro vivencie a experiência de se sentir ouvido e valorizado.

Fale cara a cara, olho no olho. Você quer usar suas mais aprimoradas habilidades de sherlocar para uma recepção plena do seu parceiro. E quer que ele veja você claramente também. (Tudo bem se precisar oferecer uma reparação via telefone, mas nesse caso se lembre de fornecer mais garantias verbais, porque seu parceiro não estará vendo e lendo seu rosto.) Observe não apenas a dor da mágoa, mas também os sinais de alívio. Se você está de fato atento ao parceiro, será capaz de vê-lo fisicamente mais leve, e saberá que a reparação está funcionando. Se não for esse o caso, manifeste-se. Por exemplo, "Percebi que isto não está funcionando. O que não estou entendendo? Você sabe o que funcionaria?".

Revisitando Carmen e Vince

Vamos ver como – liderando com seus embaixadores e armada com a compreensão sobre o que fazer e não fazer para um pedido de desculpas eficaz – Carmen pode conduzir sua conversa com Vince de modo diferente.

– Ei, Carmen, podemos conversar? – Vince pergunta enquanto entra na cozinha, carregando Luna.

Carmen ergue os olhos ao tirar o bolo do forno e vê Vince. O rosto dela está vermelho. Imediatamente coloca o bolo no balcão e caminha até o marido.

– Você parece chateado, amor. Aconteceu alguma coisa?

– Sim, estou mesmo irritado e magoado.

– Já percebi. Vou amamentar Luna para que ela não fique agitada enquanto conversamos.

Vince sente seu corpo relaxar um pouco.

– Obrigado. Sinto-me melhor só de ouvir você dizer isso.

– Você é importante para mim e vi que está chateado. – Carmen se senta em uma das banquetas do balcão da cozinha, acomoda Luna no seio, então se vira para Vince, os olhos amáveis e curiosos. – Agora me diga o que está acontecendo.

Vince se inclina no balcão e acaricia a cabeça da bebê enquanto fala com Carmen:

– Você disse que cuidaria da Luna para eu fazer um *brainstorming* com Willis, e de repente me entregou nossa filha quando estava com quinze minutos de ligação. Rompeu nosso acordo, por isso estou magoado.

Carmen, querendo ter certeza de que entendeu, pergunta:

– Você está chateado porque rompi nosso acordo sobre quem estava encarregado de cuidar de Luna. É isso?

– Sim. Foi constrangedor parar de conversar com Willis, sobretudo porque eu mesmo agendei.

Carmen faz uma pausa para processar as palavras de Vince. Ela sente um *flash* de aborrecimento porque a situação não envolveu apenas fazer o bolo, então percebe que está constrangida por cometer um erro. Mas faz um esforço consciente para se focar na experiência de Vince.

– Entendo que meu comportamento o frustrou – ela afirma depois de um minuto. – Não pensei no nosso acordo quando entreguei Luna para você. Desculpe-me. Esqueci que você estava com Willis; só estava pensando no meu bolo. Desculpa, amor.

– Não foi legal, Carmen.

– Não mesmo. Concordo.

Vince sente o corpo relaxando mais e a respiração aprofundando.

Carmen percebe a reação de Vince e se inclina na direção dele, dizendo mais uma vez:

– Sinto muito, amor. Não vai acontecer de novo. Nossos acordos são importantes para nós dois, e preciso me esforçar mais para não me esquecer deles!

Vince ri.

– Tenho certeza de que dormir mais vai ajudar você a se lembrar. Sei que você está mais cansada e esquecida do que o normal. Gostei do seu pedido de desculpas. Obrigado.

Faça uma briga justa

))((

Vemos na revisita ao casal que Carmen se empenhou para fazer um processo rápido de reparação com Vince. Não permitir que as mágoas do parceiro se agravassem e seus respectivos primitivos assumissem o comando fez uma enorme diferença na interação. A discórdia deles não se intensificou, e ambos conseguiram se manter conectados e cuidar de seu vínculo. Claro, um pedido de desculpas não vai sanar para sempre todas as mágoas em um relacionamento. O próximo passo em uma briga justa é negociar em torno da situação em que a mágoa surgiu. Para Carmen e Vince, isso significará examinar o acordo rompido.

O que os filhos presenciam

Carmen disse que amamentaria Luna enquanto o casal conversava. Antes de prosseguirmos, gostaria de enfatizar esse aspecto, pois levanta um ponto importante: como você e seu parceiro lidam com as brigas se torna o modelo que seus filhos levarão para a vida. Quando Charlie e eu descobrimos que as coisas estão ficando tensas entre nós, e Jude está lá, paramos e agendamos um tempo para uma conversa mais tarde. Então contamos a Jude o que está acontecendo. Normalmente dizemos algo do tipo: "Estamos tentando descobrir o que anda acontecendo e ainda não encontramos a chave do baú. Mas vamos conseguir. E estamos bem. Não se preocupe; nós nos amamos e nos cuidamos". Às vezes, é inviável encontrar um tempo sem a presença de seu filho, e sem problemas, desde que seus embaixadores permaneçam no comando. Você quer que as crianças entendam esta mensagem: "Meus pais podem brigar, mas o fazem de maneira justa, sem se magoarem, e isso não significa que eles não se amam nem que não me amam".

Na verdade, você não quer que seus filhos presenciem uma briga disputada pelos primitivos. Em primeiro lugar, preciso esclarecer que qualquer forma de violência física – como tapas, mordidas, empurrões, arremesso de coisas pela casa – é assustadora e potencialmente traumática para as crianças. Essa discussão está centrada em uma briga justa, portanto, nesse contexto, nem sequer vou considerar a violência física uma "briga". É abuso; é inaceitável. Se comportamentos violentos acontecerem na sua família pelo menos uma vez, procure ajuda externa. Mas isso não significa que – sem violência – seus primitivos (e os do seu parceiro) nunca assumirão uma briga, pois são capazes de berrar, se esganiçar, ofender ou dizer coisas que não queremos dizer. E se isso acontecer e você não conseguir calá-los? Aqui estão algumas estratégias para voltar ao território do embaixador:

- Imediatamente recorra à reparação, usando os princípios de superação da mágoa que discutimos.
- Use a reparação também com seu filho (como sugeri fazer com Jude). Conforme a criança amadurece, talvez queira perguntar os sentimentos dela depois de testemunhar uma briga, para que tenha a chance de compartilhar com você como seu comportamento a afetou.
- Você pode até fazer a reparação também com seu bebê. Quando trocava a fralda de Jude, costumava narrar: "Vou tirar sua fralda agora. Aqui estou eu levantando suas perninhas...". Achava que isso ajudava. É possível que você pense que os bebês não entenderão se lhes disser: "Seus pais estão tentando descobrir alguma coisa", mas acredito que eles compreendem!
- Combine com seu parceiro a definição dos limites para as brigas. Esse acordo aumentará sua atenção em futuras situações desse tipo.
- Adote uma palavra de segurança que você e seu parceiro usarão para sinalizar um ao outro se estiverem brigando na presença do seu filho de uma forma que ultrapasse esse limite.

Vulnerabilidades

Em *Wired for Love*, Stan postula que todos nós temos três ou quatro vulnerabilidades que nos perseguem no decorrer da vida. Se você pensava que havia centenas, saber que são os mesmos poucos infratores reincidentes deve soar como uma boa notícia. Essas vulnerabilidades servem como gatilhos e disparam os sinais de alarmes. Para um rápido processo de reparação no momento de uma briga, é importante que você conheça seus alarmes. No entanto, isso não significa que serão sempre as mesmas vulnerabilidades habituais e nada mais. Na verdade, após o bebê-bomba, algumas vulnerabilidades podem se destacar mais do que outras. Eis alguns exemplos:

- Sentir-se injustamente sobrecarregado. ("Sou sempre pau para toda obra aqui.")
- Sentir-se desconsiderado. ("Sinto que pouco importa minha opinião sobre o treinamento com o peniquinho.")
- Sentir-se culpado ou criticado. ("Sempre apareço como o mau da história." "A fralda do bebê vazou porque eu a coloquei do jeito errado; a culpa é sempre minha.")
- Sentir medo de ficar fora de controle. ("Tenho medo de não saber como cuidar de um recém-nascido." "Com todas as exigências parentais, nunca vou conseguir o que preciso.")
- Sentir medo de não ser amado ou ser negligenciado. ("Tenho medo de que meu parceiro não me ache mais sexy." "Meu parceiro está sempre com o bebê; nunca sobra tempo para mim.")
- Sentir medo de ficar sozinho. ("Meus relacionamentos nunca duram; vou acabar monoparental.")

OS SININHOS DO ALARME

Neste exercício, você identificará os sininhos de alarme que ressoam mais alto em seu relacionamento. Sugiro que os parceiros o façam sozinhos e depois comparem as anotações.

Ouça seus sininhos de alarme. Encontre um momento e um lugar tranquilos para autorreflexão. Se quiser, faça uma breve meditação para entrar em um estado de espírito introspectivo.

Agora reveja alguns conflitos entre você e seu parceiro, ou algumas situações em que ficou com raiva ou magoado por causa dele. O importante aqui é permitir que os embaixadores realizem este exercício. Como saber se isso está ocorrendo? Os embaixadores conseguem olhar com objetividade para o que aconteceu, sem envolvimento emocional. Se você se pega "embarcando de volta" na emoção acalorada de uma briga, seus primitivos estão aflorando.

Para cada briga ou episódio de raiva que você analisa, pergunte aos embaixadores: "Quais foram meus sinais de alarmes?". Procure padrões e considere as vulnerabilidades já mencionadas. Consegue perceber uma temática?

Diário sobre os sininhos de alarme. Ao refletir sobre essa questão, recorra ao seu diário. Compare suas reações em diferentes situações de conflito e veja se consegue selecioná-las e combiná-las para identificar as principais. Lembre-se, a maioria de nós apenas tem um punhado de vulnerabilidades que se reiteram.

Certifique-se de que suas vulnerabilidades sejam declarações sobre você, não sobre seu parceiro. Você não está perguntando "O que acionou meu alarme?". Por exemplo:

- Correto: "Sinto que sou o culpado por tudo." "Sou propenso a sentir que tudo é minha culpa."
- Incorreto: "Tenho uma reação exagerada sempre que você me culpa". "Você me faz sentir como se eu fosse o culpado."

Envolva-se com seu parceiro. Faça isso em um momento de paz, livre de discussões, depois de cada um ter identificado os próprios sinos de alarmes. Sentem-se juntos e compartilhem seus três ou quatro alarmes principais. Certifique-se de que os embaixadores estejam no comando da conversa, e não os primitivos retomando os conflitos.

A menos que seu parceiro lhe dê permissão explícita para fazê-lo, evite destacar o que você vê como sinais de alarme dele. Foque em ouvir.

Finalmente, discutam como vocês podem usar essas novas informações durante futuras situações conflituosas. Por exemplo, vocês podem concordar em monitorar o alarme durante as discussões, ou podem combinar em fazer um sinal quando seus embaixadores perceberem o ressoar dos sininhos do alarme.

Faça uma briga justa

Briga por dois vitoriosos

Conforme já abordamos, a capacidade de criar soluções ganha-ganha é uma marca registrada de equipes bolha de casal. Os embaixadores de ambos iluminam o caminho à medida que continuam em um vaivém de negociações até encontrarem o ponto de felicidade mútua.

Às vezes, você ouvirá uma relação ganha-ganha igualada a um compromisso, e às vezes a ouvirá apresentada como estratégias mutuamente exclusivas. Vou explicar como estou usando os termos aqui. Em um compromisso, cada parceiro desiste de alguma coisa em prol do bem maior do casal. Nesse sentido, o compromisso pode ser encarado como uma ênfase no que cada um abre mão. Em contraste, um ganha-ganha foca no que vocês dois ganham. Ambos reconhecem que, como nenhuma das soluções individuais satisfaz plenamente ambos, o ideal é partirem para uma terceira opção.

Apesar dessa distinção, acho que um compromisso pode ser parte de uma solução ganha-ganha. No processo de negociação, inclua algum elemento de compromisso, ou seja, algo que trocam entre si. Por exemplo, Charlie e eu decidimos que ele vai cuidar de Jude para que eu faça uma corrida e, quando eu chegar em casa, vou cuidar de Jude para que Charlie trabalhe em algumas fotos. Para um purista ganha-ganha, talvez isso não seja considerado legítimo, mas acho que dá certo no contexto da bolha de casal, em que a incumbência é o cuidado recíproco, mesmo que isso signifique sacrificar alguma coisa que você deseja para que seu parceiro realize o que ele quer.

Você sabe que conquistou uma situação ganha-ganha quando o casal pode dar um "toca aqui" na solução, confiantes de que nenhum dos dois se sentirá ressentido, ludibriado ou desgostoso. A seguir, apresento as diretrizes para uma negociação ganha-ganha.

Opere com seus embaixadores. Não deixe seus primitivos assumirem o protagonismo do show. Nem mesmo lhes dê um lugar à mesa. Você e seu parceiro precisarão de suas habilidades criativas de resolução de problemas e de sua empatia totalmente on-line para conquistarem um ganha-ganha. Se algum de seus primitivos sequestrar o regateio, pare de imediato e cuide da situação. Você precisa de todos os embaixadores on-line para que a coisa funcione.

Em *Wired for Love*, Stan incentiva os casais a agitarem uma "bandeira amigável" durante uma desavença para evitar que os primitivos se sintam ameaçados. Bandeiras amigáveis constituem qualquer coisa que sinalize ao parceiro que ambos formam uma equipe e estão juntos. Diga: "Sei que vamos encontrar nosso ganha-ganha", ou "Fico feliz por estarmos trabalhando juntos nisso", ou apenas apele ao não verbal, como um sorriso.

Nomeie o problema. Antes de tudo, você quer ter certeza de que ambos estão tentando resolver o mesmo problema. Em nosso cenário original, Carmen e Vince não chegaram nem perto disso. Definido o que não está funcionando, discuta todas as tentativas feitas por você, coletiva ou individualmente, para resolvê-lo.

Revezem-se na sugestão de ideias. Mantenha um ambiente seguro em que se sinta à vontade para manifestar quaisquer ideias. Quando você se sente seguro, sua criatividade flui de modo mais fácil. Pense fora da caixa. Como cada um de vocês poderia contribuir para que uma solução funcionasse? Cada ideia tem direito a uma discussão sincera e justa para determinar se pode ser uma vitória para ambos os parceiros.

Tenham o mesmo poder de veto. Restrinja suas ideias, eliminando aquelas que não implicam vitória para os dois. Se um de vocês disser "não", isso significa um veto. Ambos devem descartar a ideia. Tentar reembalar uma ideia que foi rejeitada e submetê-la a outra rodada de conversas pode comprometer a negociação, pois um dos parceiros talvez não sinta que foi respeitado. No entanto, pode ser benéfico se um parceiro que disse "não" também proponha uma solução alternativa. Isso tornará mais difícil para um dos parceiros manter o pé no pedal do veto.

Foque no ganha-ganha. O objetivo é que você e seu parceiro se sintam bem (ou pelo menos 80% bem) quanto à resolução. Quando isso acontece, vocês conseguiram! Entretanto, caso não conquistem um ganha-ganha na tentativa inicial, não se preocupem. Esfriem a cabeça e voltem à questão mais tarde.

Revisitando a negociação de Carmen e Vince

Vejamos como foi, quando Carmen e Vince se sentaram mais tarde naquele dia para uma negociação ganha-ganha. Eles começaram nomeando o problema de exaustão de Carmen. Observe que em uma situação semelhante outro casal poderia nomear um problema diferente, como a necessidade de reforçar como eles finalizam acordos ou a de apoiar um ao outro quando se sentirem esgotados.

– Talvez um jeito de lidar com o seu cansaço – diz Vince – é eu assumir as noites para que você possa dormir.

– Que fofinho, amor – afirma Carmen. – Alguns dias estou moída até os ossos. Mas, honestamente, a coisa mais difícil é não ter um momento tranquilo. Na verdade, o que me desgasta é estar atrelada à Luna. E me irrita quando você não consegue acalmá-la e resolve trazê-la para eu amamentar, bem na hora que pensava que talvez estivesse tendo algum tempo de pausa.

– Tudo bem – afirma Vince pensativo. – Parece que a situação toda diz mais respeito ao seu sentimento de que as nossas responsabilidades não são equitativas, e menos sobre apenas cansaço?

Carmen concorda com um movimento de cabeça.

– Com o propósito de encontrar um ganha-ganha, vamos renomear o problema como uma desigualdade em nossos papéis. – Então ela hesita. –Você sabe que adoro amamentar a Luna. Adoro ser mãe É uma coisa boba reclamar...?

Vince logo a tranquiliza.

– Não é bobo. Vejo que ficar à disposição da Luna nos últimos quatro meses a esgotou e que a situação não é justa. Estou entendendo?

– Está sim – Carmen responde, e então acrescenta: – Mas não vou parar de amamentar, então nem mesmo faça essa sugestão como parte de um ganha-ganha.

Vince ri.

– Claro que não. Mas que tal usar mais a bombinha de tirar leite?

Carmen geme.

– A bombinha é uma chatice. E mais ainda tendo que limpar todas as peças depois. – Ela para de repente. – Ei! Aqui está uma ideia: e se você lavasse as peças da bomba?

– Excelente ideia! – Vince está prestes a um "toca aqui" com Carmen, mas se controla e diz: – O que mais poderia ajudar numa situação mais justa?

Ela tem uma resposta rápida:

– Poder sair de casa com mais liberdade algumas vezes por semana.

– Então, você usa a bombinha para encher uma mamadeira e eu lavo as peças. E eu teria aquela mamadeira em mãos enquanto você sai por aí livre e solta?

Carmen sorri.

– Agora você entendeu!

Vince sorri de volta, feliz por eles estarem próximos de uma solução ganha-ganha. Mesmo assim, ele ainda tem outra proposta, então pergunta:

– Você faria alguma coisa por mim?

– O quê?

– Consideraria dormir no sofá e me deixar fazer o plantão noturno pelo menos uma vez por semana? Sei que você tem medo de que seu leite diminua, mas eu queria mesmo ajudá-la a descansar mais. Você disse que está moída até os ossos. Isso não é bom, amor.

Carmen concorda em ponderar sobre a proposta.

– Não quero dormir no sofá, mas acho que você está certo ao dizer que uma noite de folga me ajudaria. Que tal eu encher uma mamadeira agora e sair para uma caminhada para pensar nisso?

– E assim chegamos a um ganha-ganha.

)》《(

Vince e Carmen fizeram um excelente trabalho ouvindo-se reciprocamente, esclarecendo o problema e explorando o que funcionaria ou não. À primeira vista, talvez até pareça que Vince está fazendo mais sacrifícios do que Carmen, enfrentando um "que vantagens levo". Mas não é o caso; ele é movido pelos princípios norteadores que dizem que o casal vem primeiro e o parceiro está sob seus cuidados. Então, quando pede a Carmen para assumir o plantão noturno – e enquadra isso como "faça alguma coisa por mim" –, as palavras são literais. Carmen descansar mais irá beneficiá-lo porque beneficia a ela e a sua equipe de casal.

Esses parceiros conseguiram encontrar um ganha-ganha rapidamente. No entanto, como nem todos são tão leves assim, não desista se sua primeira ou segunda tentativa for um pouco mais instável, ou for sequestrada por seus próprios primitivos ou pelos de seu parceiro. Quanto mais você praticar esse tipo de resolução de conflito, melhor se sairá.

Brigas parentais comuns

Determinados problemas tendem a surgir com frequência entre parceiros com um ou dois bebês-bomba. É importante saber quais são, para que fique atento a eles:

- Procedimentos para o sono e intervenções.
- Disciplina.
- O que e quanto dar ao filho.
- O que é seguro e inseguro para o filho.
- Nutrição e hábitos alimentares.
- Quem mais pode ajudar nos cuidados com o filho.
- Creche, berçário, escolinha, babá e equidade na gestão familiar.
- Televisão e tempo de tela.

Além disso, como Stan nos lembra – mais recentemente em um artigo do *New York Times* no qual citou suas considerações sobre brigas durante a pandemia –, é bom saber que a maioria das brigas de casais se concentra em cinco tópicos: sexo, desordem, crianças (acabamos de discutir), dinheiro e tempo. Quase sempre, essas brigas são fomentadas por questões relacionadas à primeira família de cada parceiro. Por exemplo, se seus pais brigavam por dinheiro, talvez você foque os desentendimentos com seu parceiro em como gastar e economizar. Ou então você tenta evitar o assunto em um esforço para não seguir os passos de seus pais. De qualquer forma, nomear esses tópicos comuns e bastante acalorados pode ajudar você e seu parceiro a abordá-los com a atenção que exigem.

RENEGOCIAÇÃO DE ACORDOS GANHA-GANHA

À medida que você pratica aderir ao ganha-ganha, talvez necessite retornar aos acordos fundacionais do casal. No Capítulo 3, falamos não apenas sobre como manter esse acordo vivo por meio de revisões e atualizações, mas também sobre como tornar os acordos uma prática diária. Conflitos no relacionamento podem sinalizar que um acordo precisa de ajustes. Este exercício dá a você a oportunidade de avaliar seu caso.

1. Sozinho ou com seu parceiro, faça um inventário de quaisquer conflitos recentes (ou atuais) ou áreas de atrito em seu relacionamento. A lista pode ser curta ou longa.
2. Analise os itens listados e identifique quaisquer conflitos relacionados a um acordo entre você e seu parceiro. Se nenhum deles envolver um acordo, identifique um conflito que, segundo seu ponto de vista, poderia se beneficiar de um acordo.
3. Agora, na companhia do parceiro, decida se ambos desejam renegociar o acordo relacionado ao conflito (ou negociar um novo acordo se não houver nenhum).
4. Siga o processo e os princípios discutidos neste capítulo para chegar a um acordo ganha-ganha que contemple o cerne do conflito.

O que dificulta a aplicação deste princípio?

Brigar com seu parceiro raramente – duas Luas azuis[10] em um ano são raras – é agradável, tornando-se mais desafiador se você está vivendo em especial na parte vermelha ou azul do *continuum* do apego. Se seus pais lhe ofereceram uma reparação plena quando o magoaram; se quebraram a cabeça para encontrar um ganha-ganha com você e priorizaram seu relacionamento com eles, então é bem possível que você aja com segurança em sua parceria. Como uma pessoa amarela, você pode até não gostar de conflitos, mas consegue lidar com eles. No entanto, se você não vivenciou brigas justas em sua primeira família, é mais provável que se debata em conflitos agora. Analisemos como os azuis e os vermelhos – você ou seu parceiro, ou ambos – lidam com conflitos, e algumas das habilidades para uma briga justa, mesmo que seus pais não tenham sido modelos para você.

Brigas justas azuis

Ei, azul, estou vendo você! Se você é azul, quase sempre prefere evitar conflitos e, portanto, provavelmente não tomará a iniciativa de mencionar quaisquer problemas. Quando seu parceiro faz alguma coisa irritante, você pode se afastar para ficar sozinho e se tranquilizar. E também tende a se retrair emocionalmente, sem explicação. É comum que ignore ou minimize quaisquer comentários com potencial para gerar uma briga. Por acreditar que é o responsável exclusivo por cuidar de si mesmo, pode se sentir desconcertado ou frustrado quando seu parceiro quer trabalhar em um desentendimento com você. Assim agem os azuis em relação a conflitos.

---

10 Folclórica na cultura norte-americana, a Lua azul não se refere à cor do nosso satélite natural. Esse termo se refere, na verdade, à segunda Lua cheia que acontece em um mesmo mês. A ocorrência se dá a cada dois anos e meio. (N.T.)

Se você é um azul:

- Faça uma pausa antes de ficar sobrecarregado. Uma pausa não significa se afastar, pois implica um tempo livre e significativo. Diga ao seu parceiro que precisa de um tempo sozinho (seja explícito sobre quanto tempo), envolva-se em um abraço se conseguir e depois vá e se reagrupe.
- Caso seu parceiro o critique, lembre-se de que ele está criticando seu comportamento, não você. Mesmo que tenha feito alguma coisa errada, isso não o torna uma pessoa má.
- Elabore um mantra de apoio. Por exemplo: "Meu trabalho não é estar certo; é agir certo." "Posso me sentir chateado e ainda estar bem." "Ainda nos amamos, mesmo quando estamos discutindo." "Não tenho nada do que me envergonhar."

Se o parceiro é um azul:

- Caso perceba que seu parceiro está ficando sobrecarregado, sugira uma breve pausa para reagrupar. "Vamos fazer um intervalo. Eu cuido do bebê se você quiser dar uma volta. Que tal conversarmos de novo à noite?"
- Sabendo que seu parceiro é sensível a críticas, use uma linguagem que apele ao comportamento, não ao caráter. Por exemplo: "Fico chateado quando você sai sem me avisar aonde vai ou quando vai voltar".

Brigas justas vermelhas

Ei, vermelho! Você é um briguento muito dramático e gosta de aumentar o calor de uma discussão quando discorda. Para isso, é capaz de trazer à tona várias questões ao mesmo tempo, o que pode ser opressivo para seu parceiro. Além disso, você pode seguir pela tangente ao falar, porque isso o tranquiliza quando está chateado. Você quer que as coisas sejam justas, mas receia que não sejam se você não controlar a situação. Na verdade, você pode ter um medo meio secreto de encontrar uma solução; no fundo, como teme que ela não funcione, é melhor persistir na briga. A seguir, o que os vermelhos podem fazer em relação ao conflito.

Se você é um vermelho:

- Foque em apenas em uma questão até que você e seu parceiro a solucionem, antes de abordar outra.
- Caso se sinta criticado, faça uma pausa antes de responder. Peça ajuda ao parceiro. Por exemplo: "Preciso de uma bandeira amigável para sermos capazes de fazer isso juntos". Ou invoque seu próprio mantra, por exemplo, "Sou amável e digno do pertencimento. Vamos descobrir isso."
- Se perceber que está ficando agitado à medida que você e seu parceiro discutem o ganha-ganha, felicite-se por essa consciência e use-a como auxílio para cruzar a linha de chegada. Uma vez que isso ajuda você a conversar quando estiver chateado, fale sobre todas as maneiras que seu ganha-ganha funcionará.

Se o parceiro é um vermelho:

- Use a escuta ativa para ajudar seu parceiro a se manter nos trilhos. "Você disse que estava chateado porque cheguei tarde na noite passada. Então, estou confuso porque estamos falando sobre quem limpa o banheiro. Quero que falemos da mágoa que causei por chegar atrasado."
- Ofereça a garantia de que vocês vão superar a situação ilesos, dizendo coisas como "Eu te amo e nós encontraremos um jeito" e oferecendo apoio não verbal (abraços, sorrisos e aproximação física).

Conclusão

Tenho esperanças de tê-lo convencido de que, se você e seu parceiro aprenderem a deixar seus embaixadores assumirem a liderança, as brigas serão uma parte natural do relacionamento, as quais podem até mesmo levar ao desenvolvimento. Em uma relação de bolha de casal, os parceiros não permitem que as feridas apodreçam; eles sabem curá-las rapidamente e depois seguir em frente para encontrar uma solução ganha-ganha, que leva a parceria a um patamar superior. E assim caminhamos para o último capítulo, em que falamos sobre como você maneja todos os princípios norteadores à medida que solidifica seu futuro como casal.

capítulo 10

VISLUMBRE O FUTURO

Sasha e sua esposa, Kerry, estão no banheiro se preparando para dormir, enquanto Chloé dorme no berço.

– Quero fazer uma coisa amanhã – diz Sasha.

Kerry, pegando o fio dental, arrisca um palpite:

– Pegar mais fraldas?

– Estou controlando as fraldas. Como combinamos: eu as compro e você as troca. Na próxima semana vamos dar uma desligada. – Sasha sorri, orgulhosa do ganha-ganha de ambas. – Mas, não, na verdade, isto é mais a longo prazo. Quero ligar para a agência de adoção.

Kerry para e pergunta:

– O quê?

– A agência de adoção – Sasha repete. – Quero ligar para eles e fazer a bola rolar. Demoramos quatro anos para encontrar Chloé. Não podemos nos dar o luxo de esperar se quisermos que nossos filhos tenham idades próximas.

Kerry não esperava essa novidade, sobretudo agora, que Chloé tem só alguns meses.

– Ainda estou arrasada com tudo que passamos; todas as vezes em que pensamos que íamos ter um bebê, e depois nos vimos no vazio. – Ela se senta na beira da banheira e fita o chão, a mistura familiar de tristeza e ansiedade aflorando em seu interior. – Não sei se consigo passar por tudo aquilo de novo.

Sasha percebe pela "fala" de Kerry que ela está bem perturbada, mas, como deseja intensamente outra criança, insiste na proposta.

– Não fale isso! Eu sempre disse que adoro famílias grandes. E você nunca se opôs. Nem uma vez. Então, minha esposa guerreira, você só precisa ser um pouco menos sensível.

Kerry permanece em silêncio.

Sasha, observando as lágrimas no rosto de Kerry, preocupa-se em estar pressionando demais.

– Você está magoada; desculpe-me – diz ela, estendendo a mão. –Venha, vamos dormir. Quem sabe amanhã a gente continua a conversa.

Mas Kerry se afasta.

– Vá em frente. Preciso de um pouco de espaço. – Ela se levanta, passa por Sasha e para na porta do banheiro, onde se vira para dizer: – E *não* quero ser menos sensível! Não quero fazer nada disso de novo. Só quero curtir Chloé, nosso anjinho perfeito, e pronto.

Sasha não vai atrás dela. E pensa: *você precisa de espaço para esquecer a mágoa? Bem, eu também! Mas temos que seguir em frente. Se eu iniciar o processo, sei que você vai me agradecer depois.*

)〉《(

O casal decidir se quer ou não ter outro filho – quanto mais quando começar a tentar – envolve uma gigantesca decisão para a maioria depois do bebê-bomba. Acrescente a isso a dor de cabeça de um longo e tumultuado processo de adoção ou de uma jornada de FIV, ou de um aborto espontâneo, e a decisão fica ainda mais complicada. Em momentos assim, os parceiros precisam acionar todos os princípios norteadores e colocá-los em prática para cuidar da bolha do casal.

Este capítulo apresenta o último princípio norteador, que é tanto um resumo dos nove anteriores quanto a cola que mantém todos juntos. É como a mão firme que o guia pelas águas tormentosas que ambos enfrentarão. Se você se lembrar de segui-lo, terá as ferramentas necessárias para encontrar o caminho de saída de qualquer congestionamento, aconteça o que acontecer! Neste capítulo, você também aprenderá a futurizar, para que o casal defina metas familiares e realize seus sonhos ao vislumbrar o que vem pela frente.

Vislumbre o futuro

PRINCÍPIO NORTEADOR 10: *você e seu parceiro vivendo com sensibilidade, respeito e confiança*

Um relacionamento com bolha de casal é um projeto que exige fôlego para propiciar a você e ao seu parceiro a melhor chance possível de encontrar um amor duradouro e sustentável. Os nove princípios de que falamos lhe dão uma equipe sólida – duas pessoas que sabem como cuidar uma da outra e da família fazem acordos e tomam decisões, valorizam as necessidades, corregulam, alcançam o equilíbrio, mantêm o romantismo vivo e criam soluções de ganha-ganha. Se aderir a esses princípios, eles o conduzirão ao futuro que deseja viver. Você pode contar com isso? Sim, pode... se também aderir às três qualidades de parceria no cerne de cada princípio: sensibilidade, respeito e confiança.

Aqui destaco essas palavras, mesmo já mencionadas ao longo do livro e incluídas nos outros princípios, pois são os três ingredientes do molho não tão secreto. Qualquer princípio poderá fracassar sem o brilho vívido deles em todas as interações. Por exemplo, Sasha e Kerry mostram alguma fluência com o sherlocar, conhecem o ganha-ganha e pelo menos Sasha está familiarizada com desculpas. Mesmo assim, a interação do casal implode em razão de evidente falta de sensibilidade, respeito e confiança. Antes de partirmos cada um em pedacinhos para que você avalie como implementá-los, aqui estão alguns exemplos de como eles podem soar.

- Sensibilidade. "Percebo sua tristeza. Diga-me como posso apoiá-lo." "Sei o quanto você quer isso. Permita que eu te ajude." "Estou vendo aquela expressão em seus olhos. Concorda?"
- Respeito. "Quero entender por que você se sente desse jeito." "Eu não acho que conseguiria fazer isso, mas é excelente que consiga." "Não pensei nisso; obrigado por mencionar a questão."
- Confiança. "Sei que você sempre estará presente para mim e para o bebê." "Não vou te decepcionar." "Cuidar de mim está em suas mãos."

Sensibilidade

Sensibilidade é, por definição, a capacidade de perceber sensações físicas e se importar com elas. Isso vale de várias maneiras para relacionamentos bolha de casal. Talvez a mais evidente seja a prática do sherlocar, que se baseia em sua capacidade de ser sensível ao parceiro em qualquer momento. Você tem de estar alerta a leves mudanças a fim de reconhecer o que ele "fala" e reagir de um modo que indique que você se importa.

A sensibilidade também pode ser encarada como a base do respeito. Por exemplo, se Sasha tivesse sido sensível naquele momento do diálogo, teria notado os sinais de angústia de Kerry. Então, mostraria respeito pelos sentimentos da parceira e continuaria a usar sua sensibilidade para monitorar as reações dela.

A cultura dominante tradicional pressupõe que a sensibilidade se relaciona ao gênero e diz respeito mais às mulheres do que aos homens. No entanto, não há razão psicobiológica para essa crença. Na verdade, uma relação de bolha de casal depende da capacidade de ambos os parceiros de se tratarem de maneira sensível.

Respeito

Todos nós desejamos ser respeitados e valorizados. Queremos que nosso parceiro valide nossa experiência antes de expressar a dele. Sasha mostrou falta de respeito pela experiência de Kerry quando lhe disse para "ser um pouco menos sensível" em vez de legitimar os sentimentos dela. Você pode não se sentir da mesma maneira que seu parceiro ou não concordar com ele o tempo todo. Na verdade, provavelmente isso não ocorrerá! Mas é importante que mostre respeito o tempo todo.

Já abordamos a questão do respeito no contexto dos outros princípios norteadores. Por exemplo, falamos sobre valorizar e respeitar as necessidades mútuas, respeitar os acordos do casal e tratar um ao outro com respeito quando tomam decisões ou negociam um ganha-ganha. Nesses e em outros contextos, você demonstra respeito por meio da prática da escuta ativa, da curiosidade e da cedência à experiência do parceiro.

Vislumbre o futuro

Você coloca sua posição de lado para ouvir e entender de fato a origem da posição do parceiro. Não se antecipe e diga por que ele está errado e você está certo; isso não é respeitoso. Claro, talvez precise se manifestar com franqueza para ajudá-lo a compreender melhor o ponto de vista que você emitiu, mas primeiro tente entender e respeitar o dele.

Nunca se esqueça de que respeito não significa altruísmo. Ele beneficia vocês dois. Quando o parceiro se sente respeitado, seu sistema nervoso relaxa e ele é capaz de estabelecer uma melhor parceria do que quando seu sistema nervoso está zumbindo porque se sente desrespeitado.

Confiança

Confiança implica a convicção permanente de que você pode se sentir seguro e protegido com seu parceiro; agora e sempre. Envolve algo que você ganha e dá, sempre com base no respeito, construída com pequenos atos respeitosos. Por outro lado, cada vez que você negligencia o parceiro, diz palavras cruéis ou compartilha alguma coisa particular com alguém de fora, você mina a confiança. Quando Sasha tomou a dianteira, mesmo percebendo a mágoa de Kerry, ela quebrou a confiança da parceira. Portanto, não admira que Kerry não estivesse pronta para aceitar um pedido de desculpas; ela não confiava que Sasha quisesse de fato dizer aquilo ou mesmo que se sentiria segura se continuassem a conversar. Caso Sasha continue ligando para a agência de adoção, ela comprometerá ainda mais a confiança de Kerry.

A confiança é inerente aos outros nove princípios norteadores. Por exemplo, priorizar o casal e concordar em cuidar um do outro exige um alicerce de confiança. Você tem que confiar que o parceiro o tratará como um privilegiado. Precisa confiar que, nos momentos em que mostrar vulnerabilidade e expressar as próprias necessidades, seu parceiro estará lá para ajudá-lo. E essa confiança precisa ser recíproca. A confiança plena de que o parceiro cuidará de você, vendo-o e ajudando-o, precisa ser mútua. Considere firmar um acordo que especifique como será a confiança em seu relacionamento e como lidará com qualquer violação nesse sentido.

Em busca dos grandes sonhos

Até o momento, vimos que os dez princípios norteadores precisam ser aprendidos agora, enquanto você aguarda seu bebê-bomba, ou que devem estar integrados na sua vida atual com seu filho. Mas o bebê-bomba é apenas o começo. A vida segue no decorrer dos anos, às vezes com desafios que vêm de todos os lados. Sim, você terá os princípios norteadores como elemento de apoio no enfrentamento desses desafios, mas também é útil estabelecer uma prática específica que o coloque no caminho para realizar seus sonhos no futuro. Futurizar é essa prática. Apresentei a futurização no Capítulo 4, em que você a usou para imaginar o funcionamento de uma decisão. Aqui você vai recorrer a esse processo para definir metas de longo prazo visando à criação da família que você deseja. Vamos ver como Sasha e Kerry comportam-se em um segundo cenário para futurizar sobre a questão de expandir a família.

Revisitando Sasha e Kerry

Sasha e Kerry terminaram de assistir a um programa de TV e ainda não é hora de se prepararem para dormir. Depois de obter a permissão da esposa para falar sobre algo que anda martelando sua mente, Sasha diz:
– Estou sentindo que devemos iniciar o processo para que Chloé tenha um irmãozinho. O que você acha?
Kerry parece surpresa.
– Você quer dizer já?
– Sim, em breve, antes de Chloé ficar muito mais velha que ele.
Kerry silencia, fitando o tapete.
– O que está acontecendo? – Sasha pergunta. – Percebi que está chateada.
Kerry faz um movimento de concordância com a cabeça.
– Não sei se quero passar por tudo aquilo de novo – ela responde, o lábio inferior tremendo. – Temos Chloé, mas ainda me sinto arrasada por todos os outros bebês que não conseguimos trazer para casa.
Sasha se aproxima da esposa, passa os braços em torno dela, gentilmente enxuga as lágrimas de Kerry e espera.

Depois de alguns minutos, Kerry diz:

– Obrigada pela compreensão, estou me sentindo melhor. E sei o quanto você quer outro filho.

– Sim – afirma Sasha –, mas só se parecer certo para você agora.

Kerry pondera sobre a situação por um minuto. Embora sempre tenha admirado a paixão de Sasha pelos próprios sonhos, tende a ser mais flexível sobre como quer viver no futuro.

– Que tal futurizarmos um pouco? – ela propõe. – Não sou tão boa quanto você nisso e não prometo que meus sentimentos mudarão tão rapidamente, mas acho que ajudaria na definição de algumas metas.

Sasha aceita a sugestão e se oferece para começar.

– Aqui está o que vejo se começarmos a entrar em contato com as agências de adoção agora. Levaremos alguns anos para encontrar outra criança. A essa altura, Chloé poderia ter, digamos, três anos, e ambas teriam quase a mesma idade. Talvez até partamos para uma terceira adoção. Vejo uma família animada, cheia de crianças felizes. E duas mamães felizes.

Quando chega a vez de Kerry, ela diz:

– Eu nos vejo passando pelos próximos dois anos vivendo uma decepção depois da outra nas tentativas de uma nova adoção. Eu me vejo roubando meu próprio tempo de parentalidade feliz com Chloé. – Ela faz uma pausa e vê Sasha fitando-a com genuína curiosidade e encorajamento, o que a ajuda a mergulhar em uma visão mais profunda. – Se eu olhar para além de toda a decepção, vejo nosso lar com um casal de filhos. Talvez não tenham quase a mesma idade. Ou... talvez tenhamos adotado algumas crianças mais velhas, o que em geral é mais fácil do que adotar um bebê. – Ela para, olha para Sasha e ri. – Sim, talvez tenhamos adotado três adolescentes, e seremos a mesma família animada que você está imaginando!

– Caramba! – Sasha exclama. – Nunca pensei de fato na adoção de crianças mais velhas.

– Consideraria essa possibilidade?

– Não tenho certeza – Sasha responde. – Mas essa futurização abriu muitas opções.

– Parece que podemos trabalhar para estabelecer a meta de uma família maior – afirma Kerry. – Sobretudo se eu apoiar o seu sonho de uma casa cheia, e você apoiar a minha ideia de esperar mais tempo para uma nova adoção. Precisamos apenas conversar mais sobre como alcançar nossa meta. Mas parece um bom começo.

〉〉〈〈

Perceba que dessa vez Sasha estava mais em sintonia com Kerry, mais sensível e sem exercer pressão, mas também sem negar os próprios desejos. Sentindo-se respeitada por Sasha, Kerry superou suas emoções intensas e começou a enxergar seu futuro; o que ela evitava fazer antes. A futurização ajudou ambas a dar um vislumbre no futuro de novas maneiras para que – não importa se, no final das contas, decidam aumentar a família agora, mais tarde ou nunca – ajam de acordo com a visão futura que criaram juntas.

FUTURIZAR

Use este exercício para definir metas familiares de uma forma que lhe permita ser mais proativo na definição do rumo de sua vida. Se preferir, faça as duas primeiras etapas individualmente, mas envolva seu parceiro conforme você progride, para que definam metas juntos.

Escolha o que você deseja futurizar. O tópico pode se direcionar a uma questão mais geral de vida (como olhar para a bola de cristal de sua família) ou a uma mais específica (como o tamanho de sua família, onde quer morar ou fontes de renda).

Projete para o futuro. Focando no tema escolhido, pense em como a vida do casal parecerá no futuro. Pergunte a si mesmo: se seguirmos este curso, como será a nossa vida...

- Daqui a um ano?
- Daqui a cinco anos?
- Daqui a dez anos?

Dependendo do tópico, talvez você deseje ajustar o prazo estabelecido para períodos mais relevantes. Se você estiver fazendo esta etapa do exercício com seu parceiro, revezem-se compartilhando o que futurizaram. Lembre-se de que os cenários futuros de ambos não precisam ser todos positivos. Sem problemas se este exercício revelar alguns resultados negativos. Use as informações como elemento norteador do estabelecimento das metas.

Estabeleça sua(s) meta(s). Mesmo que vocês tenham dado sozinhos os primeiros passos, pense em onde quer chegar com seu parceiro. Passe pela futurização nos três períodos de tempo e compare as visões de ambos. Vocês dois veem a mesma coisa em um ano, cinco, dez anos? Conseguiram enxergar um futuro tão distante? Em que aspectos as visões do casal são semelhantes ou conflitantes?

Pegue todos os seus dados e procure pontos em comum. Tente encontrar uma meta que corresponda à sua visão. Não se limite a olhar para esta tarefa apenas como uma tomada de decisão, como uma escolha entre fazer X ou Y (como aconteceu no Capítulo 4), mas use esta oportunidade para estabelecer metas de longo alcance e mais abrangentes para sua família. É o seu futuro; incremente-o e realize-o!

O que facilita a aplicação deste princípio?

Sim, você leu corretamente! Vimos muitos fatores com potencial para complicar as coisas, mas, no final das contas, este livro aborda como criar um relacionamento tranquilo. E o elemento fundamental para isso é o compromisso em seguir todos os dez princípios norteadores e investir plenamente em sua equipe de dois. Desse modo, você cria uma relação de bolha de casal como o lar onde sempre desejou viver.

Você não precisa ser um amarelo seguro para isso. E também não precisa ter pais que seguiram o mesmo caminho. Aí está o mais interessante: qualquer pessoa pode aprender a viver relacionamentos de bolha de casal. A questão não diz respeito a trabalhar duro em sua parceria para torná-la perfeita, mas sim a cuidar dela diariamente, como se fosse um jardim muito querido. O que vale é aprender mais e mais a cada dia sobre como amar seu parceiro enquanto ama a si mesmo.

Em especial nos últimos meses, é como se o mundo tivesse feito vários arremessos de bolas de curva em um jogo de basquete em Charlie, em mim e em nossa família, deixando-nos cambaleantes em alguns momentos. Mais do que nunca, precisamos recorrer a todos os dez princípios norteadores, reavaliar o que visualizamos para nós, reagrupar e olhar para o futuro de novas maneiras. Nesse caminho a dois, eu usaria a carta do tarô O Mundo para descrever minha experiência. Para mim, o mundo reflete nossa parceria em um círculo pleno, juntos em uma vida de profunda alegria e realização, mesmo diante de uma mudança inevitável e sem precedentes. Isso resume nossa jornada como casal, uma jornada em que me sinto afortunada. Você e seu parceiro também podem viajar pela carta O Mundo. Estou de fato muito animada por vocês e por seu(s) bebê(s)-bomba.

AGRADECIMENTOS

Ao meu fantástico coautor: Stan, obrigada por me ensinar e me encorajar a desenvolver meu talento. Você vislumbrou um terapeuta de casal em mim antes que eu mesma o visse.

Obrigada a Jude Berman, um editor extraordinário. Nós somos a equipe perfeita, e sinto-me muito grata. A TBT, obrigada por acreditar neste projeto e por me incentivar com seu coração de leoa gigante.

Um agradecimento muito especial aos meus auxiliares mágicos, que conspiraram para me amar, apoiar e guiar ao longo desta jornada: Naomi Buckley, Ryan Heffington, Maximilla Lukacs, dra. Clarissa Pinkola Estés, Roo Krout, Cynthia Ess, Allison Carter, Bryce Longton, KK Karnaky, Paula e Steve Chipman, Jim McGuire, Ann Bartelstein, Aurisha Smolarski, Jennye Garibaldi, Jessica Snow, Sarah Rodman-Alvarez e Chynna Smith.

Para minha irmã, Allison Headlee, você é minha amiga mais antiga e querida. Seu amor intenso é incomparável. Obrigada por uma vida inteira de amor e apoio.

E, finalmente, obrigada a minha mãe e a meu pai. Pai, você me mostrou o amor de brincar com as palavras desde o momento em que eu, bebê, bombardeei sua vida. Mãe, você me ensinou que eu poderia fazer qualquer coisa que sonhasse, "um passo de cada vez". Obrigada pelo incentivo eterno que só uma mãe é capaz de oferecer.

RECURSOS PARA AJUDA PROFISSIONAL
(CONTEÚDO EM INGLÊS)

Recursos para transtornos de humor perinatal

- Anxiety and Depression Association of America (Adaa). [Associação de ansiedade e depressão dos Estados Unidos.] Disponível em: adaa.org/find-help-for/women/perinatalmoodisorders. Acessado em: 14 dez. 2021.

- Postpartum Support International (PSI). [Apoio pós-parto internacional.] Disponível em: www.postpartum.net/get-help/locations. Acessado em: 14 dez. 2021.

- Postpartum Health Alliance. [Aliança pela saúde pós-parto.] Disponível em: postpartumhealthalliance.org. Acessado em: 14 dez. 2021.

Recursos para terapia de casal

Cada um apresenta um diretório de terapeutas de casais que você pode pesquisar e contatar.

- Instituto PACT de Stan Tatkin. Disponível em: thepactinstitute.wildapricot.org. Acessado em: 14 dez. 2021.

- Instituto Gottman. Disponível em: www.gottman.com/couples/find-a-therapist. Acessado em: 14 dez. 2021.

- Terapia focada nas emoções (EFT) de Sue Johnson. Disponível em: iceeft.com/find-a-therapist. Acessado em: 14 dez. 2021.

REFERÊNCIAS

Ainsworth, Mary D. S. *Patterns of Attachment: A Psychological Study of the Strange Situation*. Nova York: Lawrence Erlbaum, 1978.

Bologna, Caroline. 23 Times Tina Fey Hilariously Summed Up Parenting. *HuffPost*, 18 de maio de 2017. Disponível em: www.huffpost.com/entry/23-times-tina-fey-hilariously-summed-up-parenting_n_591a7d9de4b0809be15797ea. Acessado em: 28 nov. 2021.

Bowlby, John. *A Secure Base: Parent-Child Attachment and Healthy Human Development*. Nova York: Basic Books, 1988.

Cantarow, Ellen. "No Kids". *The Village Voice*, 15 de janeiro de 1985.

Chung, YoonKyung; Downs, Barbara; Sandler, Danielle H.; Sienkiewicz, Robert. *The Parental Gender Earnings Gap in the United States*. Washington, DC: U.S. Census Bureau, Center for Economic Studies, 2017. Disponível em: www2.census.gov/ces/wp/2017/CES-WP-17-68.pdf. Acessado em: 12 nov. 2021.

Cowan, Carolyn Pape; Cowan, Philip A. *When Partners Become Parents: The Big Life Change for Couples*. Nova York: Basic Books, 1992.

Fisher, Helen E. Brains Do It: Lust, Attraction, and Attachment. *Dana Foundation Cerebrum*. 1 de janeiro de 2000. Disponível em: www.dana.org/article/brains-do-it-lust-attraction-and-attachment. Acessado em: 18 out. 2021.

Karp, Harvey. *The Happiest Baby on the Block*. Nova York: Bantam, 2002. Publicado no Brasil com o título *O bebê mais feliz do pedaço*. São Paulo: Planeta do Brasil, 2004.

LeMasters, E. E. Parenthood as Crisis. *Marriage and Family Living*, 19 (1957): 352-55. Disponível em: doi.org/10.2307/347802. Acessado em: 18 out. 2021.

Marche, Stephen. How to End Pandemic Fights with Your Partner. *New York Times*. Disponível em: www.nytimes.com/2020/06/08/well/family/marriage-relationships-fighting-couples-quarantine.html. Acessado em: 28 nov. 2021.

Miller, Claire Cain. Children Hurt Women's Earnings, but Not Men's (Even in Scandinavia). *New York Times*. Disponível em: www.nytimes.com/2018/02/05/upshot/even-in-family-friendly-scandinavia-mothers-are-paid-less.html. Acessado em: 28 nov. 2021.

Nahman, Haley. Esther Perel on Why Marriage After Kids Is So Hard (and How to Fix It). *Man Repeller*. Disponível em: www.repeller.com/2018/03/marriage-after-kids-advice.html. Acessado em: 28 nov. 2021.

Obama, Michelle. *Becoming*. Nova York: Random House, 2018. Publicado no Brasil com o título *Minha história*. Rio de Janeiro: Objetiva, 2018.

O'Malley, Deirdre; Higgins, Agnes; Begley, Cecily; Daly, Deirdre; Smith, Valerie. Prevalence of and Risk Factors Associated with Sexual Health Issues in Primiparous Women at 6 and 12 Months Postpartum: A Longitudinal Prospective Cohort Study (the MAMMI Study). BMC *Pregnancy Childbirth 18*, n. 196 (2018). Disponível em: doi.org/10.1186/s12884-018-1838-6. Acessado em: 18 out. 2021.

Richter, David; Krämer, Michael D.; Tang, Nicole K. Y.; Montgomery-Downs, Hawley E.; Lemola, Sakari. Long-Term Effects of Pregnancy and Childbirth on Sleep Satisfaction and Duration of First-Time and Experienced Mothers and Fathers. *Sleep* 42, n. 4 (2019). Disponível em: doi.org/10.1093/sleep/zsz015. Acessado em: 18 out. 2021.

Riquin, Elise; Lamas, Claire; Nicolas, Isabelle; Lebigre, Corinne Dugre; Curt, Florence; Cohen, Henri; Legendre, Guillaume; Corcos, Maurice; Godart, Nathalie. A Key for Perinatal Depression Early Diagnosis: The Body Dissatisfaction. *Journal of Affective Disorders* 245 (2019): 340-347. Disponível em: doi.org/10.1016/j.jad.2018.11.032. Acessado em: 18 out. 2021.

Sears, William. New Parents' 8 Most-Asked Questions. *Parenting*. Disponível em: www.parenting.com/article/new-parents-8-most-asked-questions. Acessado em: 18 out. 2021.

Shapiro, Alyson Fearnley; Gottman, John M.; Carrère, Sybil. The Baby and the Marriage: Identifying Factors that Buffer Against Decline in Marital Satisfaction After the First Baby Arrives. *Journal of Family Psychology,* 14, n. 1 (2000): 59–70. Disponível em: pdfs.semanticscholar.org/0fce/799e726ea33fd80a3859fde3e4eb7a40aec0.pdf?_ga=2.190745963.1308437689.15935762491972260653.1592859511. Acessado em: 18 out. 2021.

Tatkin, Stan. *Wired for Dating: How Understanding Neurobiology and Attachment Style Can Help You Find Your Ideal Mate*. Oakland: New Harbinger, 2016.

_____. *Wired for Love: How Understanding Your Partner's Brain and Attachment Style Can Help You Defuse Conflict and Build a Secure Relationship*. Oakland: New Harbinger, 2012.

U.S. Census Bureau. PINC-05. Work Experience – People 15 Years Old and Over, by Total Money Earnings, Age, Race, Hispanic Origin, Sex, and Disability Status. Disponível em: www.census.gov/data/tables/time-series/demo/income-poverty/cps-pinc/pinc-05.html. Acessado em: 18 out. 2021.

Esta obra foi composta em Sabon LT,
Skolar Sans Latin e Kopius e impressa em papel
Pólen Soft 70 g/m² pela Cromosete Gráfica e Editora.